하나님의 편지

5

LETTERS
TO GOD'S
PEOPLE

가스펠 프로젝트 신약 5

하나님의 편지

고학년 교사용

지은이 · LifeWay Kids
옮긴이 · 권혜신
감수 · 김병훈, 류호성, 김정효

초판 발행 · 2019. 4. 8
등록번호 · 제1988-000080호
등록된 곳 · 서울특별시 용산구 서빙고로65길 38
발행처 · 사단법인 두란노서원
영업부 · 02) 2078-3352, 3452, 3752, 3781 FAX 080-749-3705
편집부 · 02) 2078-3437
활동연구 · 김찬숙, 박은혜, 임요한, 지민정, 최은정, 한승우, 홍선아

책값은 뒤표지에 있습니다.
ISBN 978-89-531-3423-2 04230 / 978-89-531-3122-4 (세트)

홈페이지 · gospelproject.co.kr / **두란노몰** · mall.duranno.com

두란노서원은 바울 사도가 3차 전도 여행 때 에베소에서 성령 받은 제자들을 따로 세워 하나님의 말씀으로 양육하던 장소입니다.
사도행전 19장 8-20절의 정신에 따라 첫째 목회자를 돕는 사역과 평신도를 훈련시키는 사역,
둘째 세계선교TIM와 문서선교단행본·잡지 사역, 셋째 예수문화 및 경배와 찬양 사역, 그리고 가정·상담 사역 등을 감당하고 있습니다.
1980년 12월 22일에 창립된 두란노서원은 주님 오실 때까지 이 사역들을 계속할 것입니다.

차례

이렇게 활용해 보세요! 4 / 발간사 6 / 감수사 7 / 추천사 9

1단원 인도하시는 하나님

1
바울이 베드로의 행동을 나무랐어요
12

2
교회가 나뉘었어요
22

3
교회 안에 차별이 생겼어요
30

4
서로 사랑하라
38

5
교회 지도자들에게 권면했어요
46

2단원 변화시키시는 하나님

6
우리는 하나님의 자녀예요
58

7
마음을 새롭게 해 변화를 받아요
66

8
성령의 열매를 맺어요
74

9
하나님의 전신 갑주를 입어요
82

10
기쁘게 주어요
90

11
믿음의 사람들
98

복음 초청 가이드 21 / 칼럼 55, 106 / 커리큘럼 112

이렇게 활용해 보세요!

① 단원 개요 · 각 과의 목표

- '가스펠 프로젝트'(하나님의 구원 계획)의 연대기적 큰 흐름 속에서 각 단원과 각 과의 주제를 살펴봅니다.

DVD **카운트다운** 단원별로 제공되는 3분 카운트다운 영상(지도자용 팩)으로, 장소를 옮기거나 시간을 구분 짓는 방법으로 활용할 수 있습니다.

DVD **무대 배경** 단원별 설교의 도입(들어가기)에서 공통적으로 활용할 수 있는 무대 데코 아이디어로, 배경 이미지(지도자용 팩)를 화면에 띄워 사용할 수 있습니다.

단원 암송 단원의 핵심 메시지가 담긴 성경 구절입니다.

성경의 초점 본문과 관련된 성경의 중심 주제(핵심 교리)를 문답 형식으로 정리한 문장입니다. 단원별 성경의 초점을 익히며 성경의 흐름을 이해하게 합니다.

주제 각 과의 핵심 줄거리를 파악할 수 있습니다.

가스펠 링크 성경 이야기에 담긴 복음을 발견하게 합니다. 모든 성경 이야기는 그리스도와 연결됩니다.

본문 속으로 각 과를 준비하며 묵상할 내용과 티칭 포인트를 제시합니다. 청장년용 《가스펠 프로젝트》로 교사 소그룹 모임에서 더 깊은 묵상을 나누며 성경 읽기를 병행할 것을 권유합니다. 부모 소그룹 모임은 교회와 가정을 연계해 교육 효과를 더욱 높여 줄 것입니다.

교사 지도 가이드 영상 교사들이 각 과의 내용과 아이들에게 전달해야 할 핵심을 쉽게 파악할 수 있도록 짧은 예시와 함께 개요를 소개하고 교사를 독려합니다. 홈페이지(gospelproject.co.kr)에서 무료로 활용할 수 있습니다.

② 말씀 묵상

- 말씀을 묵상하며 어떻게 가르칠 것인가를 기도로 준비합니다.

DVD **이야기 성경** '가스펠 설교'에서 사용하는 구어체 설교입니다. 같은 내용의 영상이 지도자용 팩에 있습니다.

교사를 위한 기록장 말씀을 가르치기 전 교사가 발견한 메시지를 기록하며 말씀을 내면화하도록 돕습니다.

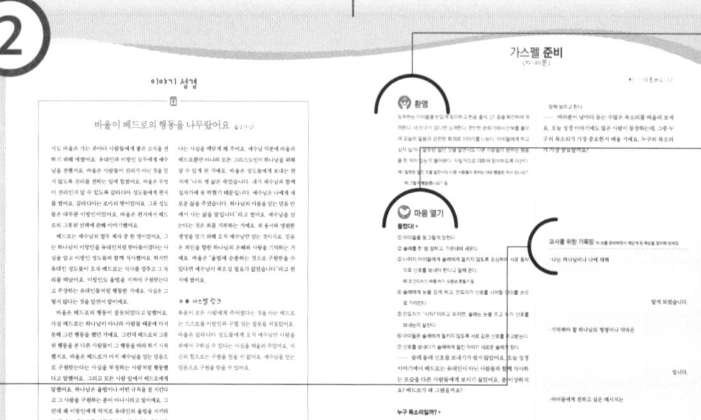

환영 아이들을 맞이하며 나눌 수 있는 대화의 소재를 제안합니다.

마음 열기 이 과의 주제와 연결된 간단한 활동을 소개합니다.

③ 가스펠 준비

- 사전 활동을 살펴봅니다.

④ 가스펠 설교

● **도입 - 전개 - 가스펠 링크 - 복음 초청 - 적용**에 이르는 설교 가이드입니다.

들어가기 도입 아이디어를 소개합니다.

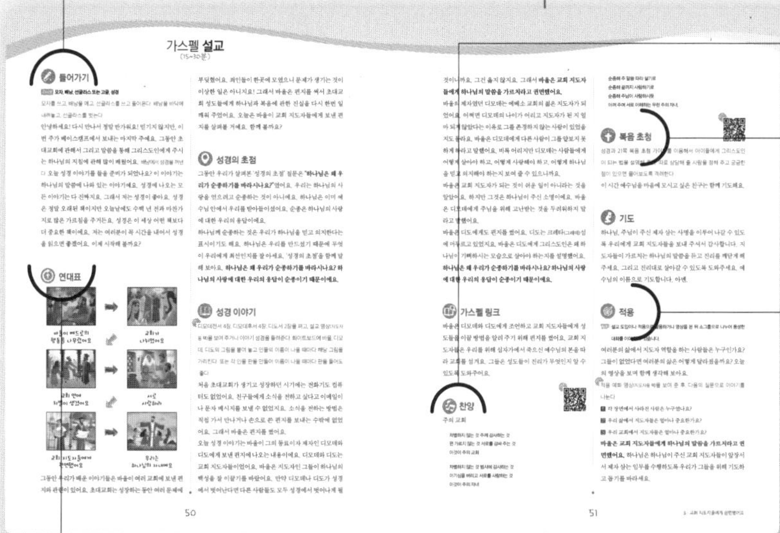

찬양 단원 주제를 담은 찬양, 악보, 율동을 지도자용 팩과 가스펠 프로젝트 홈페이지에서 만날 수 있습니다.

복음 초청 복음을 전하고 영접 기도로 이끌 수 있는 초청 대화를 담았습니다. 지도자용 팩과 가스펠 프로젝트 홈페이지에 있는 영상을 활용할 수 있습니다.

적용 에피소드를 담은 영상과 질문이 담겨 있습니다. 설교 도입이나 적용 부분에서 활용하거나 영상을 본 뒤 소그룹에서 풍성한 대화를 이어 가는 방법도 추천합니다.

연대표 '가스펠 프로젝트'(하나님의 구원 계획)의 큰 흐름 속에서 각 과의 위치를 파악해 봅니다.

가스펠 소그룹 ⑤

● 예배 후 소그룹 모임에서 배운 내용을 되새길 수 있는 다양한 활동을 소개합니다.

보물 상자 성경의 메시지와 내 삶을 연결해 보고, 하나님과 일대일 대화를 나누듯 마음을 고백하는 마무리 활동입니다.

나침반 재미있는 활동으로 단원 암송을 익히게 합니다. 부록의 단원 암송 자료와 지도자용 팩의 파일을 활용할 수 있습니다.

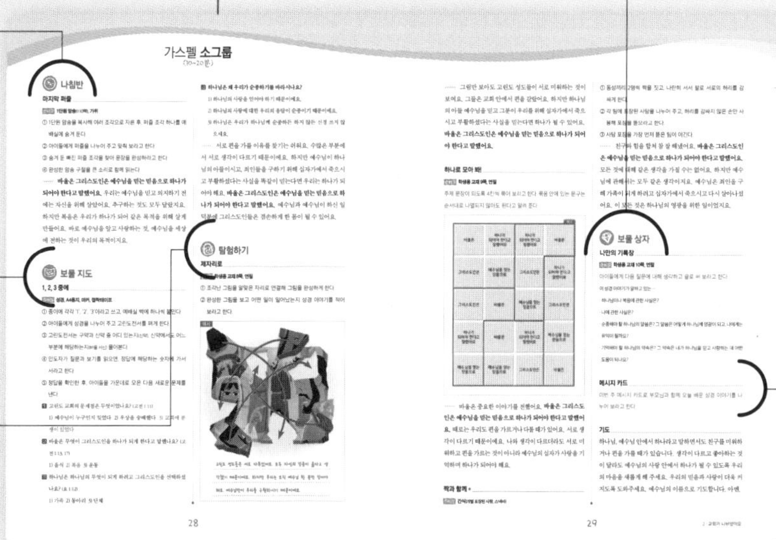

보물 지도 퀴즈와 게임을 통해 성경 이야기를 복습하는 활동입니다.

탐험하기 성경 이야기의 의미를 묵상하며 주제, 가스펠 링크, 성경의 초점 등을 되새기는 확장 활동입니다.

메시지 카드 각 과의 핵심 내용과 가족과 함께하는 활동을 담았습니다.

* 지도자용 팩의 PC 전용 DVD-Rom에 영상, 그림, 음원, 악보, PPT 등의 자료가 있습니다.

● 교과서에 자주 등장하는 국가와 도시명은 교과서 표기법으로, 그 외의 명칭은 개역개정의 표기를 따랐습니다.

발간사

두란노서원을 통해 라이프웨이(LifeWay)의《가스펠 프로젝트》성경 공부 교재 시리즈를 발간할 수 있도록 인도하신 하나님께 감사드립니다. 험한 소리로 가득한 세상에 이 책을 다릿돌처럼 놓습니다. 우리 삶은 말씀을 만난 소리로 풍성해져야 합니다. 주님을 만난 기쁨의 소리, 진실 앞에서 탄식하는 소리, 죄를 씻는 울음소리, 소망을 품은 기도 소리로 가득해야 합니다.

《가스펠 프로젝트》는 신구약을 관통하는 예수 그리스도의 복음을 발견하고, 그 가르침을 삶에 적용하는 지혜를 얻도록 기획한 성경 공부 교재입니다. 어린아이부터 어른에 이르기까지 생애 주기에 따른 복음 메시지를 잘 배울 수 있습니다. 또한, 거짓 진리가 미혹하는 이 시대에 건강한 신학과 바른 교리로 말씀을 조명하여 성도의 신앙이 좌로나 우로나 치우치지 않도록 돕습니다.

두란노서원은 지금까지 "오직 성경, 복음 중심, 초교파적 관점"을 바탕으로 한국 교회와 성도를 꾸준히 섬겨 왔습니다. 오직 성경의 정신에 입각해 책과 잡지를 출판해 왔으며, 성경에 근거한 복음 중심의 신학을 포기한 적이 없습니다. 그리고 교단과 교파를 초월하여 교회와 성도가 하나님 나라를 바라볼 수 있도록 돕기 위해 노력해 왔습니다.《가스펠 프로젝트》는 두란노가 지켜 온 세 가지 가치를 충실하게 담은 책입니다.

성경은 구원을 위한 책이며, 구원사의 주인공은 예수 그리스도입니다. 창세기부터 요한계시록까지 오직 예수 그리스도의 복음만을 전하는《가스펠 프로젝트》성경 공부 교재를 통해 복음의 은혜와 진리를 깊이 경험하고, 복음 중심의 삶이 마음 판에 새겨지기를 바랍니다. 그리고 예수 그리스도 복음에 굳게 선 한 사람의 영향력이 가정과 교회와 사회에 흘러감으로써 거룩한 하나님 나라가 확산되어 가기를 소망합니다.

두란노서원 원장 이 형 기

감수사

《가스펠 프로젝트》는 무엇보다도 전통적으로 교회가 풀어 온 흐름을 충실히 따라 성경을 해설하고 있습니다. 그리고 그 방향은 궁극적으로 예수 그리스도를 향해 나아가고 있습니다. 이것은 예수님이 구약과 신약의 모든 성경이 자신을 가리키고 있다고 하신 말씀에 비추어 매우 타당한 것입니다. 게다가 그리스도 중심적 해설을 무리하게 전개하지 않습니다. 각 본문에서 하나님의 구원 언약과 그것을 실현하시는 하나님을 드러내면서, 그리스도의 예표적 설명이 가능한 사건을 놓치지 않고 풀어내고 있습니다.

성경 공부 교재는 명시적으로 혹은 암시적으로 제시하는 교리적 진술이 교리 체계상 건전해야 합니다. 《가스펠 프로젝트》는 99개 조에 이르는 핵심 교리들을 일목요연하게 제시하여 교리의 건전성을 확인할 수 있도록 도움을 줍니다. 《가스펠 프로젝트》의 교리는 교파를 막론하고, 예수 그리스도의 복음에 충실한 복음주의 교회들에게 환영받을 만합니다. 물론 교파마다 약간의 이견을 갖는 부분들이 있을 수 있겠지만, 각 교회에서 교재를 활용하는 데에 무리가 없을 것입니다. 《가스펠 프로젝트》의 특징은 각 과에서 학습한 내용을 핵심 교리와 연결해 주며, 그 결과 그리스도의 복음에 관련한 교리적 이해를 강화시킨다는 데에 있습니다.

끝으로 《가스펠 프로젝트》는 어떤 성경 주해서나 교리 학습서가 갖지 못하는 훌륭한 장점을 가지고 있습니다. 그것은 학습자를 하나님과 그리스도의 복음 앞으로 이끌며, 자신의 신앙과 삶을 돌아보도록 하는 적용의 적실성과 훈련의 효과입니다. 아울러 본문과 관련한 교회사적으로 또 주석적으로 중요한 신학자와 목사의 어록을 제시하고, 심화 토론을 위한 질문을 달아 주고, 선교적 안목을 열어 주는 적용 질문들을 더해 준 것은 《가스펠 프로젝트》에서 얻을 수 있는 커다란 유익입니다.

추천할 만한 마땅한 성경 공부 교재를 찾기가 쉽지 않은 현실에서 《가스펠 프로젝트》는 성경을 개괄적으로 매주 한 과씩 3년의 기간 동안 일목요연하게, 그리고 그리스도 중심적으로 공부하도록 이끌어 준다는 점에서, 한국 교회의 기초를 성경 위에 놓는 일에 커다란 공헌을 할 것으로 믿어 의심치 않습니다.

김병훈 _ 합동신학대학원대학교 조직신학 교수

하나님의 말씀이 임하는 곳에는 회복의 역사가 있어서 죽은 뼈들도 힘줄이 생기고 살이 오릅니다(겔 37:8). 왜냐하면 하나님의 말씀은 그 자체에 능력이 있기 때문입니다(눅 1:37). 그분의 말씀은 살아 있고 활력이 있기에 예리하게 혼과 영과 및 관절과 골수를 찔러 쪼개기까지 하며 또 마음의 생각과 뜻을 판단할 것입니다(히 4:12). 하나님의 말씀이 왕성하게 흘러넘쳐 온 세상과 우주를 적실 때에 정의와 사랑(렘 9:24) 그리고 제자의 수가 많아지는 놀라운 부흥을(행 6:7) 경험할 것이고, 악한 세력이 모두 물러가며 새 하늘과 새 땅이 다가올 것입니다.

이를 위해 작은 등불의 역할을 할 《가스펠 프로젝트》는 다음과 같은 특징이 있습니다. 첫째는 성경 전체를 '그리스도 중심'으로 바라본 것입니다. 오실 그리스도(구약)와 오신 그리스도 그리고 앞으로 다시 오실 그리스도(신약)의 관점에서 구약성경과 신약성경을 서로 연결시켜서, 그 속에 담긴 놀라운 하나님의 구원 역사를 보게 합니다. 둘째는 같은 본문으로 교회와 가정 그리고 전 연령층에서 그리스도의 사랑을 배우게 합니다. 이는 특히 가정에서 소통할 기회를 제공하고 사랑과 정의를 실천하는 성숙한 그리스도인으로 성장하도록 이끌어 줍니다. 셋째는 신학적 주제와 기초 교리를 이해하기 쉽게 설명하며 영적 분별력을 향상시키는 데 도움을 줍니다. 넷째는 배운 것을 복음의 씨앗을 뿌리는 선교와 연결시키며 하나님이 주신 사명을 실천하도록 이끄는 것입니다. 이는 복음의 열정을 회복시켜 줍니다.

이러한 특징이 있는《가스펠 프로젝트》는 모든 교단과 교파를 초월해서, 하나님의 섬세한 구원의 손길과 그리스도의 숭고한 십자가의 사랑 그리고 거룩함으로 인도하는 성령님의 이끄심을 배울 수 있는 아주 좋은 성경 공부 교재입니다. 우리는 이를 통해 하나님의 말씀이 이 땅에 흘러넘치며, 복음의 열정을 품고 전 세계로 향하는 많은 전도자들을 세워 갈 수 있을 것입니다

류호성 _ 서울장신대학교 신약학 교수

일반적으로 교육 프로그램의 적절성은 철학적, 사회학적, 심리학적 측면에서 평가됩니다. 이 기준을 주일 학교에 적용해 본다면 신학적으로 맞는지, 교회(사회)의 필요를 잘 충족하는지 그리고 활동에는 학습자의 발달적 특성이 잘 고려되었는지를 살피며 평가가 이루어져야 할 것입니다. 이러한 측면에서 볼 때,《가스펠 프로젝트》저·고학년 신약 시리즈는 다음과 같은 특징이 있습니다.

첫째, 신학적인 측면에서 신약 학습을 성자 하나님이신 예수님께 초점을 맞추고 있다는 점 그리고 예수님이 구약 인물의 계보를 따라 오신 역사적 인물이며 약속된 메시아이심을 강조한다는 점 등이 적절하다고 볼 수 있습니다.

둘째, 교회(사회)의 필요 충족이라는 측면에서 볼 때도, 주일 학교를 담당하는 교육자들의 필요를 꼼꼼히 매우 잘 반영하고 있습니다. 어쩌면《가스펠 프로젝트》는 처음 개발할 때부터 학생보다는 교육자의 필요를 먼저 살핀 교사 친화적 교재라고 할 수 있습니다. 대부분의 세속 학교 프로그램은 학생 교재가 먼저 제작되고 교재를 어떻게 사용해야 하는지에 대한 설명을 하는 용도로 교사용 지도서가 만들어집니다. 그러나《가스펠 프로젝트》를 살펴보면 교회 교육자의 입장에서 설교, 소그룹 활동, 복음에의 초청, 가정과의 연계 활동 등 일련의 활동을 먼저 계획하고 이를 실행할 때 필요한 학생용 교재를 부차적으로 구성했다는 인상이 들 정도로 이를 선택한 교육자들의 필요를 두루 살피며 안정적으로 지원하고 있습니다.

셋째, 교육 심리학적인 측면에서《가스펠 프로젝트》는 초등학교 아동이 가지는 발달 연령기의 특성을 잘 반영하고 있습니다. 이 시기 아동에게는 오감을 사용하는 구체적인 활동이 매우 중요한데《가스펠 프로젝트》는 매우 입체적으로 인지적, 감성적, 행동적인 측면을 총동원할 수 있도록 구성되어 있습니다. 특히 성경의 내용을 지식적으로 이해하는 데에서 머무르지 않고, 아동들의 생활 반경의 경험과 연결하여 의미를 이해하도록 하고, 마지막에는 가정과의 연계 활동을 제안하여 학습의 구체화와 지속성을 더하고 있다는 점이 특징입니다.

마지막으로《가스펠 프로젝트》의 도움으로 교회에서 다음 세대에게 말씀을 전하는 교육자들의 수고가 더욱 많은 열매를 맺을 수 있기를 기대합니다.

김정효 _ 이화여자대학교 초등교육과 교수

추천사

우리를 향한 하나님의 멈추지 않는 사랑, 아들을 내어 주신 아버지 하나님의 놀라운 구원 계획에 눈뜨게 하는 교재입니다. 성경을 꿰뚫는 변함없는 메시지, 예수 그리스도를 만날 수 있는 교재입니다. 유익한 활동과 흥미로운 반복 학습을 통해 기독교 핵심 주제를 접하고, 말씀을 가까이하며, 가족과 묵상을 나누도록 이끄는 방식에 기대가 큽니다. 다양한 소재의 영상과 그림 자료는 시청각 자료가 부족한 교육 현장에 큰 활력을 불어넣어 줄 것입니다. 무미건조한 습관적 예배, 아이들과 소통하지 못해 안타까워했던 부모와 교사, 다음 세대를 걱정하는 교회 지도자들에게 이 교재를 추천합니다.

김요셉 _ 중앙기독학교 교목, 원천침례교회 목사

《가스펠 프로젝트》는 하나님의 말씀으로 우리를 초청해 예수 그리스도를 만나게 하고 사랑하게 만드는 교재입니다. 자녀들이 교회 학교에서, 부모들이 소그룹에서 말씀을 공부한 후 저녁 식탁에 둘러 앉아 예수님에 대해 함께 나눈다는 것은, 상상만 해도 너무나 멋지고 복된 일입니다.

김지철 _ 전 소망교회 담임 목사

우리 시대의 전 세계적 교회 부흥은 두 가지 샘을 갖고 있습니다. 한 샘은 오순절 부흥 운동의 샘입니다. 이 샘으로 많은 시대의 목마른 영혼들이 목마름을 해갈했습니다. 또 하나의 샘은 성경 연구의 샘입니다. 《가스펠 프로젝트》는 쉬우면서도 결코 피상적이지 않습니다. 믿음의 단계를 따라 하나님의 자녀들에게 꼭 필요한 복음의 진수를 맛보게 해 줄 것입니다. 이 교재로 이 땅에 새로운 영적 르네상스가 일어나기를 기대합니다.

이동원 _ 지구촌교회 원로 목사

성경을 공부한다는 것은 성경에 기록된 사실을 배우는 것이 아니라 성경이 가르치는 교리를 배우는 것입니다. 왜냐하면 성경은 독자에게 어떤 새로운 정보를 주기 위해 인간이 쓴 책이 아니라 죄인인 인간에게 구원을 주기 위해 하나님이 쓰신 말씀이기 때문입니다. 이번에 출간된 《가스펠 프로젝트》는 이와 같은 역할을 탁월하게 수행하고 있기 때문에 기쁜 마음으로 추천합니다.

이성호 _ 고려신학대학원 역사신학 교수

《가스펠 프로젝트》는 성경이 어떻게 그리스도와 연결되어 있는지, 또 성도의 삶이 하나님의 구원 계획에 어떻게 연결되어야 하는지를 구체적으로 제시합니다. 또한 전 세대를 연결하고, 가정과 교회를 하나 되게 합니다. 신앙의 전수가 중요한 시대에 성도와 교회와 가정이 한마음으로 다음 세대를 준비시키기에 적합합니다.

이재훈 _ 온누리교회 담임 목사

《가스펠 프로젝트》는 이 시대를 살아가는 모든 그리스도인에게 꼭 필요한 성경의 핵심 내용을 쉽고 흥미롭게 펼쳐 내면서 성경을 알아 가는 기쁨을 주고 구체적인 적용을 돕는 교재입니다. 가장 뛰어난 점은, 성경의 중심이 되시는 예수님을 충실하게 드러낸다는 점입니다. 《가스펠 프로젝트》를 성실하게 따라가면 예수님을 통해 완성하시는 하나님의 구원 역사 프로젝트가 드러날 것입니다. 이 시리즈를 통해 체계적인 '가정 제자 훈련'과 '성경 공부'를 정착시키는 가운데 한국 교회와 이민 교회에 거룩한 부흥의 불길이 일어나길 기대합니다.

류응렬 _ 와싱톤중앙장로교회 담임 목사, 고든콘웰신학대학원 객원 교수

1 단원 인도하시는 하나님

급속하게 성장하던 초대교회에 다툼과 문제가 생겼습니다. 교회 지도자들은 예수님이 그들의 궁극적인 지도자이시며, 성도들은 복음을 온 세상에 전해야 할 임무를 부여받았다는 사실을 모두에게 상기시키는 것으로 문제를 처리했습니다.

바울이 베드로의
행동을 나무랐어요

교회가
나뉘었어요

교회 안에
차별이 생겼어요

The Gospel Project

서로
사랑하라

교회 지도자들에게
권면했어요

카운트다운 – 알람이 울리기 전에

카운트다운 영상(지도자용 팩)을 틀고 예배 준비 자세를 취하도록 격려한다. 예배가 시작되는 시간에 영상이 끝나도록 맞추어 놓는다. 영상이 끝나기 30초 전에 예배 인도자는 정해진 위치에 서서 조용히 기도하는 모범을 보인다.

무대 배경 – 등산로

등산로의 베이스캠프처럼 꾸민다. 작은 텐트를 설치하고 삽, 사다리, 랜턴, 침낭 등 소도구를 배치해 놓는다. 화면에 '등산로' 배경 이미지(지도자용 팩)를 띄운다.

1

바울이 베드로의 행동을 나무랐어요

갈 2:11~21

단원 암송

내가 그리스도와 함께 십자가에 못 박혔나니 그런즉 이제는 내가 사는 것이 아니요 오직 내 안에 그리스도께서 사시는 것이라 이제 내가 육체 가운데 사는 것은 나를 사랑하사 나를 위하여 자기 자신을 버리신 하나님의 아들을 믿는 믿음 안에서 사는 것이라(갈 2:20).

성경의 초점

하나님은 왜 우리가 순종하기를 바라시나요? 하나님의 사랑에 대한 우리의 응답이 순종이기 때문이에요.

본문 속으로

예수님의 열두 제자 중 한 명인 베드로는 유대 문화 속에서 성장했습니다. 유대인은 하나님이 이방인에게 관심이 없으시다고 여겼습니다. 유대인 대부분은 이방인을 업신여겼고 그들과 어울리지 않았습니다. 유대인은 이방인이 부정하다고 생각했습니다. 그들이 하나님을 기쁘시게 하는 옳은 방식으로 살지 않는다고 여겼습니다. 유대인이 이방인과 어울린다면, 그는 자기 민족에게 조롱받을 위험을 감수해야만 했습니다.

예수님의 부활과 승천 이후 하나님은 자신이 유대인뿐만 아니라 이방인도 사랑하신다는 사실을 베드로에게 알려 주셨습니다(행 10:9~16 참조). 베드로는 하나님의 말씀을 마음에 새기고 이방인 성도들과 어울리며 식사도 함께했습니다. 적어도 유대인 성도들이 식사 자리에 등장하기 전까지는 말입니다. 하지만 유대인들이 도착하자 베드로는 이방인들과의 식사를 멈추고 자리를 떠났습니다. 이는 이방인들에게 유대인의 율법을 지켜야 한다고 말하는 사람들처럼 행동한 것입니다. 사실은 그렇지 않다는 것을 알면서도 말입니다! 베드로는 바나바까지도 같은 행동을 하게 만들었습니다. 바나바는 성도들을 격려하고 하나 되게 하는 사람으로 잘 알려졌던 사람입니다.

이 사실을 알게 된 사도 바울은 베드로를 책망했습니다. 바울은 하나님이 사람의 행위가 아니라 믿음을 보고 의롭다고 인정하신다는 것을 강조했습니다(롬 3:21~22 참조). 베드로의 행동은 복음의 핵심적인 가르침과 모순되는 것이었습니다.

바울은 갈라디아 성도들에게 이 이야기를 들려주었습니다. 이 진리는 우리에게도 적용됩니다. 구원은 민족성이나 외형적인 율법을 순종함으로써 얻는 것이 아닙니다. 예수 그리스도를 믿는 믿음으로 구원을 받습니다. 그리고 그 구원의 은혜는 민족과 족속과 나라를 불문하고 모든 사람에게 값없이 주어집니다.

주 제

바울은 오직 예수님을 믿는 믿음으로 구원받는다고 말했어요.

가스펠 링크

자신의 힘으로는 구원을 얻을 수 없어요. 예수님을 믿는 믿음으로 구원을 받을 수 있어요.

●● 티칭 포인트

아이들을 가르칠 때, 과연 자신에게 구원받을 자격이 있는지 의문을 품지 말라고 말해 주십시오. 구원은 예수님 안에 있습니다. 하나님이 모든 사람을 사랑하시기 때문에 우리도 예수님 안에서 모든 사람을 사랑할 수 있다고 아이들에게 가르쳐 주십시오.

바울이 베드로의 행동을 나무랐어요 갈 2:11~21

사도 바울은 가는 곳마다 사람들에게 좋은 소식을 전하기 위해 애썼어요. 유대인과 이방인 모두에게 예수님을 전했지요. 바울은 사람들이 진리가 아닌 것을 믿지 않도록 진리를 전하는 일에 힘썼어요. 바울은 무엇이 진리인지 알 수 있도록 갈라디아 성도들에게 편지를 썼어요. 갈라디아는 로마의 땅이었어요. 그곳 성도들은 대부분 이방인이었어요. 바울은 편지에서 베드로의 그릇된 선택에 관해 이야기했어요.

베드로는 예수님의 열두 제자 중 한 명이었어요. 그는 하나님이 이방인을 유대인처럼 받아들이셨다는 사실을 알고 이방인 성도들과 함께 식사했어요. 하지만 유대인 성도들이 오자 베드로는 식사를 멈추고 그 자리를 떠났어요. 이방인도 율법을 지켜야 구원받는다고 주장하는 유대인들처럼 행동한 거예요. 사실은 그렇지 않다는 것을 알면서 말이에요.

바울은 베드로의 행동이 잘못되었다고 말했어요. 사실 베드로는 하나님이 아니라 사람들 때문에 마지못해 그런 행동을 했던 거예요. 그런데 베드로의 그릇된 행동을 본 다른 사람들이 그 행동을 따라 하기 시작했지요. 바울은 베드로가 마치 예수님을 믿는 믿음으로 구원받는다는 사실을 부정하는 사람처럼 행동했다고 말했어요. 그리고 모든 사람 앞에서 베드로에게 말했어요. 하나님은 율법이나 어떤 규칙을 잘 지킨다고 그 사람을 구원하는 분이 아니시라고 말이에요. 그런데 왜 이방인에게 억지로 유대인의 율법을 지키라고 하냐고 베드로를 나무랐지요. 하나님은 예수님을 믿기만 하면 유대인이든 이방인이든 모두 받아들이세요.

율법은 죄에서 구원을 받으려면 예수님이 필요하다는 사실을 깨닫게 해 주어요. 예수님 덕분에 바울과 베드로뿐만 아니라 모든 그리스도인이 하나님을 위해 살 수 있게 된 거예요. 바울은 성도들에게 보내는 편지에 "나의 옛 삶은 죽었습니다. 내가 예수님과 함께 십자가에 못 박혔기 때문입니다. 예수님은 나에게 새로운 삶을 주셨습니다. 하나님의 아들을 믿는 믿음 안에서 사는 삶을 말입니다"라고 썼어요. 예수님을 믿는다는 것은 죄를 거부하는 거예요. 죄 용서와 영원한 생명을 얻기 위해 오직 예수님만 믿는 것이지요. 믿음은 죄인을 향한 하나님의 은혜와 사랑을 기억하는 거예요. 바울은 "율법에 순종하는 것으로 구원받을 수 있다면 예수님이 죽으실 필요가 없었습니다"라고 편지에 썼어요.

●● 가스펠 링크

복음이 모든 사람에게 주어졌다는 것을 아는 베드로는 스스로를 이방인과 구별 짓는 잘못을 저질렀어요. 바울은 갈라디아 성도들에게 오직 예수님만 사람을 죄에서 구하실 수 있다는 사실을 떠올려 주었어요. 자신의 힘으로는 구원을 얻을 수 없어요. 예수님을 믿는 믿음으로 구원을 받을 수 있어요.

가스펠 준비
(10~20분)

*는 선택 활동입니다.

환영

도착하는 아이들을 반갑게 맞이하고 헌금, 출석, QT 등을 확인하며 격려한다. 새 친구가 있다면 소개한다. 편안한 분위기에서 안부를 물으며 오늘의 말씀과 관련된 화제로 이야기를 나눈다. 아이들에게 하고 싶지 않거나 잘못된 일인 것을 알면서도 다른 사람들이 원하는 행동을 한 적이 있는지 물어본다. 자발적으로 대화에 참여하도록 이끈다.

예) "잘못된 일인 것을 알면서도 다른 사람들이 원하는 대로 행동한 적이 있나요?", "왜 그렇게 행동했나요?" 등.

마음 열기

들켰다! *

① 아이들을 둥그렇게 앉힌다.
② 술래를 한 명 정하고, 가운데에 세운다.
③ 나머지 아이들에게 술래에게 들키지 않도록 조심하며 서로 동작으로 신호를 보내야 한다고 말해 준다.
예) 코 건드리기, 메롱 하기, 오른손 흔들기 등.
④ 술래에게 눈을 감게 하고, 인도자가 신호를 시작할 아이를 손으로 가리킨다.
⑤ 인도자가 "시작!"이라고 외치면, 술래는 눈을 뜨고 누가 신호를 보내는지 살핀다.
⑥ 아이들은 술래에게 들키지 않도록 서로 같은 신호를 주고받는다.
⑦ 신호를 보내다가 술래에게 들킨 아이가 새로운 술래가 된다.

— 술래 몰래 신호를 보내기가 쉽지 않았어요. 오늘 성경 이야기에서 베드로는 유대인이 아닌 사람들과 함께 식사하는 모습을 다른 사람들에게 보이기 싫었어요. 좀 이상하지요? 베드로가 왜 그랬을까요?

누구 목소리일까? *

준비물 성경

① 술래를 한 명 뽑아 나머지 아이들을 등지고 서게 한다.
② 나머지 아이 중 한 명에게 성경을 주고, 성경 목차에서 성경책 이름 3개를 말하거나 시편의 한 구절을 읽게 한다.
③ 술래에게 성경책 이름을 말하거나 시편을 읽은 아이가 누구인지 맞혀 보라고 한다.

— 여러분이 날마다 듣는 수많은 목소리를 떠올려 보세요. 오늘 성경 이야기에도 많은 사람이 등장하는데, 그중 누구의 목소리가 가장 중요한지 배울 거예요. 누구의 목소리가 가장 중요할까요?

교사를 위한 기록장 이 과를 준비하면서 깨닫게 된 묵상을 정리해 보세요.

·나는 하나님이나 나에 대해

알게 되었습니다.

·기억해야 할 하나님의 명령이나 약속은

입니다.

·아이들에게 전하고 싶은 메시지는

입니다.

가스펠 설교
(15~30분)

들어가기

준비물 **모자, 배낭, 선글라스 또는 고글, 성경**

모자를 쓰고, 배낭을 메고, 선글라스를 쓰고 들어온다. 배낭을 바닥에 내려놓고, 선글라스를 벗는다.

여러분, 안녕하세요! 여러분을 만나게 되어서 정말 기뻐요. 히말라야 베이스캠프에 오신 것을 환영합니다! 저는 산으로 등정 훈련을 떠날 준비를 하고 있어요. 혹시 등산해 본 사람 있나요? 아이들의 대답을 기다린다. 저는 오늘부터 매주 가이드를 따라 저기 있는 산을 오를 거예요. 이것은 나중에 산 정상까지 오르기 위해 하는 훈련이기 때문에, 등정 훈련 후에는 베이스캠프로 돌아와 쉬면서 체력을 회복하고 다음 훈련을 준비하게 되지요. 배낭에서 성경을 꺼낸다. 여러분도 매주 이곳에 와서 저와 함께 놀라운 성경 이야기를 들으면 좋겠어요.

성경의 초점

성경 이야기들은 모두 모여 하나의 큰 이야기가 되어요. 바로 하나님이 우리를 사랑하셔서 자기 아들을 세상에 보내 죄인들을 구원하신다는 이야기지요. 용서와 영원한 생명은 예수님을 믿는 믿음으로 얻는다는 것 기억하고 있나요? 우리가 뭔가를 잘해서 얻는 것이 아니에요. 그렇게 생각하니 갑자기 궁금한 것이 생겼어요. 하나님은 왜 우리가 순종하기를 바라실까요? 더 열심히 순종한다고 하나님의 사랑을 얻는 것도 아닌데 말이에요! '성경의 초점'을 배우면서 그 답을 찾아보아요. 이번 단원의 '성경의 초점' 질문과 답은 **"하나님은 왜 우리가 순종하기를 바라시나요? 하나님의 사랑에 대한 우리의 응답이 순종이기 때문이에요"**랍니다.

연대표

하나님의 이야기라는 큰 그림 속에서 우리는 어디쯤 와 있는지 연대표를 살펴볼까요?

DVD '어린이를 위한 가스펠 프로젝트_하나님의 구원 계획' 영상(지도자용 팩)을 보여 주고, 오늘의 성경 이야기도 하나님의 거대한 구원 계획의 한 부분에 속하는 이야기임을 상기시킨다.

성령님이 오시고 제자들이 예루살렘과 유대와 사마리아와 땅끝까지 복음을 전하기 시작하면서 초대교회는 빠르게 성장했어요. 하지만 점점 많은 사람이 모이면서 교회 안에 다툼이 생겨났어요.

교회 지도자들은 서로 사이좋게 지내고 사랑하라고 성도들에게 강조했어요. 우리 모두를 이끄시는 분은 예수님이고, 또 우리에게는 같은 임무가 주어졌기 때문이에요. 그 임무는 바로 온 세상에 복음을 전하는 것이지요.

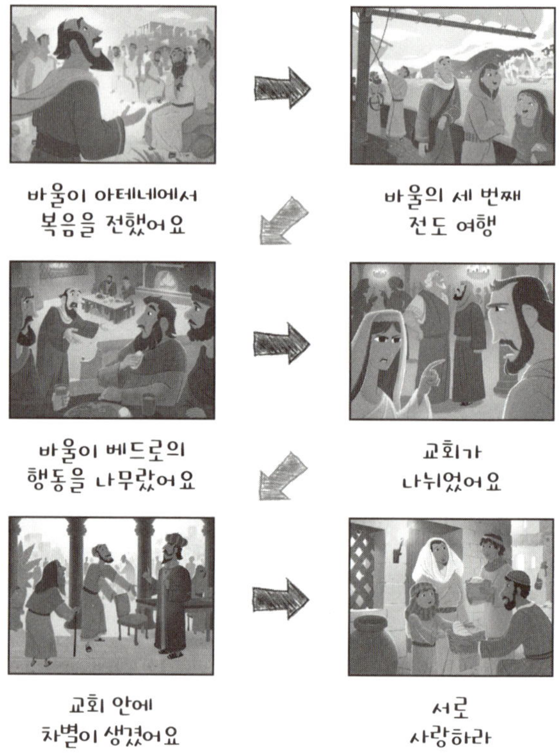

연대표에서 오늘의 성경 이야기를 가리킨다. 오늘 성경 이야기는 바울이 갈라디아 성도들에게 쓴 편지에 관한 내용이에요. 어떤 내용인지 함께 알아보아요.

성경 이야기

DVD 갈라디아서 2장을 펴고, 설교 영상(지도자용 팩)을 보여 주거나 이야기 성경을 들려준다. 바울이 편지를 쓰고 있다고 말하는 장면에서 두루마리와 펜을 들고 편지를 쓰는 동작을 한다. 또는 읽는 속도를 조절하면서 아이들의 몰입도를 높인다.

사도이자 선교사였던 바울은 유대인과 이방인 모두에게 예수님을 전했어요. 그는 갈라디아에 있는 성도들에게 편지를 써서 예수님의 제자인 베드로 이야기를 들려주었어요.

사도행전에서 하나님이 베드로에게 환상을 보여 주셨던 이야기 기억하나요? 사도행전 10장에서 하나님은 베드로에게 아주 신기한 장면을 보여 주셨어요. 오래전에 하나님이 율법을 통해 '부정하다'라고 말했던 음식들을 이제는 먹어도 된다고 하셨지요. 이것은 바로 예수님에 관한 좋은 소식이 유대인과 이방인 모두를 위한 것이라는 말씀이었어요.

베드로는 예수님이 온 세상의 주인이신 것을 믿었어요. 그래서 이방인 성도들과 만나고 식사도 같이 했지요. 그것은 옳은 일이었어요. 그런데 예루살렘에서 온 유대인 성도들이 나타나자 베드로는 이방인들과 식사하던 것을 멈추고 그 자리를 떠났어요. 구원을 받으려면 이방인도 유대인의 율법을 따라야 한다고 생각하는 사람들처럼 행동했지요.

이 소식을 들은 바울은 베드로에게 그가 잘못했다고 말했어요. 갈라디아서에서 **바울은 오직 예수님을 믿는 믿음으로 구원받는다고 말했어요.** 율법을 잘 지켜서가 아니라 오직 예수님을 믿는 믿음으로 구원받는다고 했지요. 그렇다면 **하나님은 왜 우리가 순종하기를 바라시나요? 하나님의 사랑에 대한 우리의 응답이 순종이기 때문이에요.**

가스펠 링크

유대인들은 율법을 지켜야 하나님과 가까워질 수 있다고 믿었어요. 하지만 바울은 모든 사람이 율법을 완벽하게 지킬 수 없다는 것을 알았어요. 그래서 복음이 좋은 소식인 거예요. 예수님은 모든 율법을 온전히 지키셨고, 우리 대신 죽으셨어요. 유대인과 이방인, 누구라도 예수님을 믿으면 용서와 영원한 생명을 얻을 수 있도록 말이에요.

복음이 모든 사람에게 주어졌다는 것을 아는 베드로는 스스로를 이방인과 구별 짓는 잘못을 저질렀어요. 바울은 갈라디아 성도들에게 오직 예수님만 사람을 죄에서 구하실 수 있다는 사실을 떠올려 주었어요. 자신의 힘으로는 구원을 얻을 수 없어요. 예수님을 믿는 믿음으로 구원을 받아요.

복음 초청

성경과 21쪽 복음 초청 가이드를 이용해서 아이들에게 그리스도인이 되는 법을 설명해 준다. 따로 상담해 줄 사람을 정해 주고 궁금한 점이 있으면 물어보도록 격려한다.

이 시간 예수님을 마음에 모시고 싶은 친구는 함께 기도해요.

기도

하나님, 구원은 오직 믿음으로 얻을 수 있다는 것을 고백합니다. 우리를 사랑하시고, 예수님을 믿는 믿음을 보시고 자녀로 삼아 주셔서 감사합니다. 우리의 부족한 판단으로 복음 전할 대상을 구별하는 것이 아니라, 만나는 모든 사람에게 복음을 전할 수 있도록 인도해 주세요. 예수님의 이름으로 기도합니다. 아멘.

적용

TIP 설교 도입이나 적용으로 활용하거나 영상을 본 뒤 소그룹으로 나누어 풍성한 대화를 이어 갈 수 있습니다.

누군가가 여러분과 다르다는 이유로 피해를 본 일이 있나요? 그것은 옳은 일이었나요? 그 경험을 떠올리며 오늘의 영상을 함께 보아요.

DVD 적용 예화 영상(지도자용 팩)을 보여 준 후, 다음의 질문으로 이야기를 나눈다.

1. 컵케이크는 왜 머핀과 말을 하지 않았나요?
2. 오늘 성경 이야기에서 바울은 왜 베드로를 나무랐나요?
3. 혹시 어떤 사람이나 집단을 피하고 싶은 유혹을 받은 적이 있나요?
4. 복음은 다른 사람을 대하는 우리의 모습을 어떻게 변화시키나요?

복음은 모든 사람을 위한 것이에요. 하나님이 모든 사람을 사랑하시기 때문에, 우리도 예수님 안에서 모든 사람을 사랑할 수 있어요.

가스펠 **소그룹**
(10~20분)

나침반

말씀 기억하기

"내가 그리스도와 함께 십자가에 못 박혔나니 그런즉 이제는 내가 사는 것이 아니요 오직 내 안에 그리스도께서 사시는 것이라 이제 내가 육체 가운데 사는 것은 나를 사랑하사 나를 위하여 자기 자신을 버리신 하나님의 아들을 믿는 믿음 안에서 사는 것이라"(갈 2:20).

준비물 **1단원 암송**(110쪽), **포스트잇**

① 1단원 암송을 보여 주고, 아이들과 함께 큰 소리로 읽는다.

② 아이들에게 포스트잇을 한 장씩 나누어 준다.

③ 한 아이에게 포스트잇으로 암송 구절의 한 어절을 가리게 한 후, 아이들과 암송 구절을 함께 읽는다.

④ 포스트잇으로 어절을 가리고 함께 읽기를 반복한다.

— 이 성경 구절은 바울이 갈라디아 교회에 보낸 편지에 있는 말씀이에요. 바울은 자신이 그리스도와 함께 못 박혔다고 말했어요. 이는 자신이 옛 삶의 방식에 대해 죽었다는 의미예요. 바울은 자기 자신을 위해 살던 삶을 버리고 예수님을 위해 살았어요.

보물 지도

손뼉 쳐!

준비물 **성경**

① 아이들에게 성경을 나누어 주고 갈라디아서를 펴게 한다.

② 갈라디아서는 바울이 갈라디아 지역에 사는 성도들에게 쓴 편지라고 말해 준다.

③ 인도자가 성경 이야기의 한 문장을 읽으면, 참이라고 생각하는 아이는 손뼉을 치고 거짓이라고 생각하는 아이는 두 손으로 'X'자를 만들어 보이라고 한다.

④ 거짓인 문장을 읽은 후에는 참고할 성경 구절을 알려 주고, 원하는 아이에게 큰 소리로 읽게 한다.

1. 갈라디아서는 에베소서 바로 앞에 있다. 참
2. 바울은 베드로에게 그가 이방인들과 식사하던 자리를 피한 것은 잘못된 행동이었다고 말했다. 참 (갈 2:11~12)
3. 베드로는 이방인들도 유대인의 율법을 지켜야 한다고 믿는 것처럼 행동했다. 참 (갈 2:14)
4. 율법을 지키기만 하면 하나님과 좋은 관계가 될 수 있다.
   거짓 (갈 2:16)
5. 바울은 예수님이 자신에게 새 삶을 주셨다고 말했다. 참 (갈 2:19~20)
6. 율법을 잘 지켜서 구원받을 수 있는데도 예수님은 죽으셨다.
   거짓 (갈 2:21)
7. 복음은 모든 사람을 위한 것이므로 우리는 모든 사람에게 사랑을 베풀어야 한다. 참

— **바울은 오직 예수님을 믿는 믿음으로 구원받는다고 말했어요.** 이방인 성도들은 구원을 받기 위해 유대인의 율법을 지킬 필요가 없었어요. 이것은 정말 좋은 소식이에요. 우리는 아무리 노력해도 율법을 완벽하게 지킬 수 없기 때문이지요. 바울은 그 점을 분명히 하고 싶었어요. 복음은 모든 사람을 위한 것이에요.

탐험하기

갈라디아 교회에 보내는 편지

준비물 **학생용 교재 4쪽, 연필**

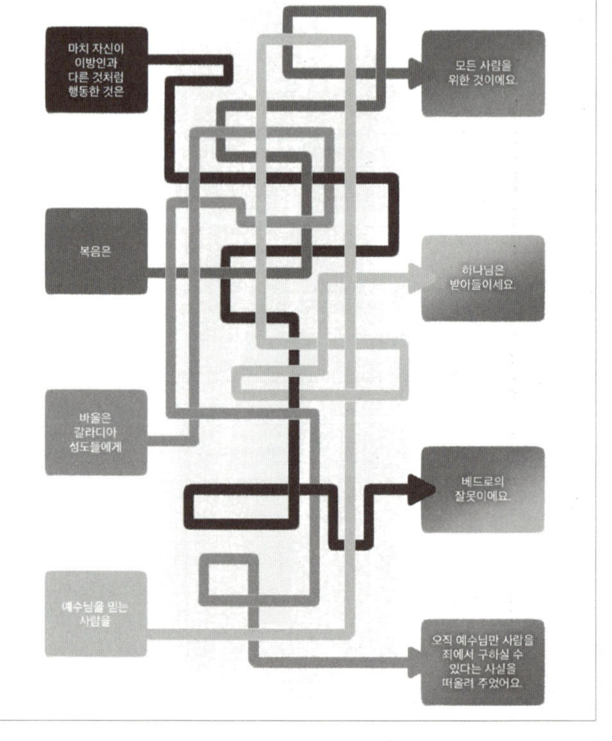

① 차례대로 선을 따라가며 성경 이야기를 복습해 보라고 한다.

② 구원은 어떻게 받는 것인지 이야기를 나눈다.

③ 예수님을 믿는 믿음으로 구원받는다는 것을 강조한다.

— 오늘 성경 이야기에서 베드로는 유대인 성도들이 자기를 좋아하고 존경하기를 바라는 마음에 그만 복음을 무시하는 행동을 하고 말았어요. 하지만 바울은 갈라디아 성도들에게 보낸 편지에서 예수님을 따르는 사람이 되려면 사람들을 기쁘게 할 것이 아니라 하나님을 기쁘시게 해야 한다고 분명히 말했어요(갈 1:10 참조). 바울은 자기 자신을 위해 살던 옛 삶의 방식을 버리고 예수님을 위해 살았어요.

그리스도 예수 안에서

준비물 **학생용 교재 5쪽, 연필**

보기에 있는 사람들을 찾아 색칠해 숨은 단어를 찾아 갈라디아서 3장 28절을 완성해 보라고 한다.

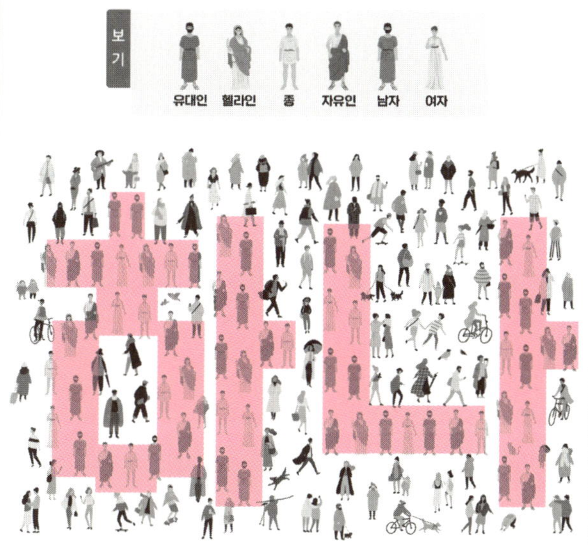

너희는 유대인이나 헬라인이나 종이나 자유인이나

남자나 여자나 다 그리스도 예수 안에서 **하 나** 이니라

갈라디아서 3장 28절

— 복음이 모든 사람에게 주어졌다는 것을 아는 베드로는 스스로를 이방인과 구별 짓는 잘못을 저질렀어요. 바울은 갈라디아 성도들에게 오직 예수님만 사람을 죄에서 구하실 수 있다는 사실을 떠올려 주었어요. 자신의 힘으로는 구원을 얻을 수 없어요. 예수님을 믿는 믿음으로 구원을 받을 수 있어요.

뒤집고 점프! *

준비물 **돗자리 2개, 스톱워치**

① 아이들을 2팀으로 나눈다.

② 각 팀에 돗자리를 하나씩 주고, 예배실 바닥에 돗자리를 깔고 그 위에 올라서게 한다.

③ 5분 안에 발이 바닥에 닿지 않도록 하면서 돗자리를 뒤집어 보라고 한다.

④ 돗자리를 뒤집으려면 발이 바닥에 닿지 않도록 조심하면서 돗자리를 잡아당겨야 하므로 서로 협동해야 한다고 말해 준다.

— 참 잘했어요! 이 놀이는 어떤 점이 어려웠나요? 쉬운 점은 무엇이었나요? 아이들의 대답을 기다린다. 오늘 성경 이야기를 보면 하나님은 모든 사람을 구원하신다는 것을 알 수 있어요. 유대인이든 이방인이든 가리지 않으시지요. 방금 여러분은 돗자리 뒤집느라 정말 고생했어요. 하지만 아무리 열심히 노력해도 자신을 구원할 수는 없어요. 구원은 어떤 규칙을 따르거나 어떤 음식을 먹지 않는 것으로 얻을 수 있는 것이 아니에요. **바울은 오직 예수님을 믿는 믿음으로 구원받는다고 말했어요.**

화장실 카드 만들기 *

준비물 **여러 가지 색 도화지, 가위, 색연필, 사인펜, 접착테이프**

① 색 도화지를 5cm 폭으로 여러 장 잘라 둔다.

② 아이들에게 종이와 준비물을 나누어 주고, 원하는 모양으로 예쁘게 꾸며 보라고 한다.

③ 종이 위에 교회를 방문하는 사람들을 환영하거나 응원하는 문구를 적게 한다.

예) 1. 우리 교회는 사랑이 넘치는 교회입니다. 환영합니다.

2. 예수님께서 힘을 주세요! 파이팅!

④ 완성한 카드를 화장실 안 잘 보이는 곳에 붙인다.

⑤ 아이들에게 하나님은 모든 사람을 하나님의 가족으로 반갑게 맞으시는 분임을 기억하라고 말해 준다.

— **바울은 오직 예수님을 믿는 믿음으로 구원받는다고 말했어요.** 따라서 우리는 구원받는 데 필요한 것을 우리가 가졌는지 궁금해할 필요가 없어요. 예수님이 완전한 삶을 사시고 우리 대신 십자가에서 죽으심으로 구원을 위해 필요한 모든 일을 하셨어요. 하나님이 모든 사람을 사랑하시고 받

아들이시기 때문에 우리도 예수님 안에서 모든 사람을 사랑하고 받아들일 수 있어요.

보물 상자

나만의 기록장

준비물 **학생용 교재 6쪽, 연필**

아이들에게 다음 질문에 대해 생각하고 글로 써 보라고 한다.

이 성경 이야기가 말하고 있는…

· 하나님이나 복음에 관한 사실은?

· 나에 관한 사실은?

· 순종해야 할 하나님의 말씀은? 그 말씀은 어떻게 하나님께 영광이 되고, 나에게는 유익이 될까요?

· 기억해야 할 하나님의 약속은? 그 약속은 내가 하나님을 믿고 사랑하는 데 어떤 도움이 되나요?

메시지 카드

준비물 **학생용 교재 51쪽 메시지 카드, 카드 고리, 펀치, 가위**

① 카드를 오리고 펀치로 구멍을 뚫어 고리로 연결하게 한다.

② 가방이나 지갑에 고리를 끼워 항상 휴대하면서 오늘 배운 성경 이야기를 수시로 기억하게 하고, 가족과도 함께 나눌 수 있도록 격려한다.

기도

하나님, 모든 사람을 사랑하시고 우리에게 예수님을 보내 주셔서 감사합니다. 예수님을 통해서 하나님의 사랑을 알고, 성령님을 통해서 그 사랑을 느끼게 해 주셔서 감사합니다. 우리에게 주신 그 큰 사랑을 기억하며 이웃을 더욱 사랑하는 우리가 될 수 있도록 도와주세요. 예수님의 이름으로 기도합니다. 아멘.

'나를 위한 하나님의 멋진 계획'

'복음'이라는 말을 들어 본 적 있니?
복음이란 좋은 소식이라는 뜻이야.
하나님이 우리(너)를 위해 보내 주신
놀라운 선물이지.

하나님은 세상을 만드셨단다

하나님은 온 세상을 만드셨어.
하늘, 땅, 나무, 새…. 그런데 더 놀라운 것은 사람을 만드셨다는 거야. 바로 우리(너)를 하나님이 만드셨어.
그리고 우리(너)를 사랑하신다고 성경은 말해(요 3:16). 그래서 하나님은 우리와 항상 함께 살기를 원하시지(창 1:1; 골 1:16~17; 계 4:11).

예화 네가 정성을 다해 만든 작품이 소중하듯이 하나님이 너를 만드셨기 때문에 네가 매우 소중한 거야.

사람들은 죄를 짓고 하나님을 떠났어

모두 죄를 지었다고 성경은 말해(롬 3:23).
죄는 하나님께 불순종해 하나님이 기뻐하시지 않는 말이나 행동을 하는 거야(욕심, 거짓말, 싸움 등).
하나님은 거룩하신 분이기 때문에 죄를 가진 우리는 하나님과 함께 살 수 없게 되었단다.
사람들은 죄 때문에 하나님과 멀어져 결국 죽을 수밖에 없는 벌을 받게 되었어(롬 6:23).

하나님은 구원 계획을 갖고 계시단다

하나님은 우리(너)를 너무 사랑하셔서 우리(너)가 하나님과 함께 살기를 원하셔. 그래서 대신 벌을 받기로 계획하셨어.
죄가 없으신 하나님의 아들 예수님을 이 땅에 보내셔서 우리가 받아야 할 죄의 벌을 받지 않도록 구원해 주신 거야. 죄인인 우리는 아무리 노력해도 해결할 수 없거든(요 3:16; 엡 2:8~9).

예화 손이 더러우면 어떻게 해야 깨끗해질까? 물로 씻어야겠지? 그런데 거짓말을 했을 때 물로 씻는다고 깨끗해질까?

예수님이 우리에게 생명을 주셨어

예수님은 완전하신 하나님의 아들이시지만 이 세상 사람의 몸으로 태어나셨어.
아무런 잘못이 없으시지만 너의 죄를 용서해 주시기 위해 십자가에서 죽으셨어(히 9:22). 그리고 3일 만에 다시 살아나셨어.
우리를 사랑하시는 하나님이 우리가 하나님과 함께 영원히 살 수 있는 길을 만드신 것이지. 이것이 우리를 위해 계획하신 최고의 선물이야(롬 5:8; 고후 5:21; 벧전 3:18)!

예수님! 우리 마음에 오세요!

성경은 영접하는 자 곧 그 이름을 믿는 자는 하나님의 자녀가 된다고 말했어(요 1:12; 롬 10:9~10, 13).
'영접'은 손님이 문밖에서 두드리면 문을 열고 안으로 모시듯이 예수님을 "제 마음에 들어오세요" 하고 맞이하는 거야.
'믿는다'라는 것은 예수님이 나의 죄를 대신해 십자가에 죽으시고 다시 살아나셨음을 진심으로 믿는다는 뜻이야.

너는 이 예수님을 마음에 모셔 들이기를 원하니? 네.
예수님은 어떤 분이시지? 우리의 죄를 위해 십자가에 죽으시고 다시 살아나신 분이셔. 그것을 진심으로 믿을 수 있겠니? 네.
그럼 선생님을 따라서 기도할 수 있겠니? 네.

영접 기도

사랑하는 예수님, 저는 죄를 지었어요.
저의 죄 때문에 예수님이 십자가에 죽으시고 다시 살아나셨음을 믿어요. 지금 제 마음에 들어오셔서 저의 주님이 되어 주세요.
예수님의 이름으로 기도합니다. 아멘.

구원의 확신

너는 누구의 자녀가 되었지? 하나님이요.
"영접하는 ○○, 곧 그 이름을 믿는 ○○에게는 하나님의 자녀가 되는 권세를 주셨으니" (요 1:12)
이제 ○○는 하나님의 자녀가 되었다고 하나님이 말씀에서 약속하셨어. 하나님의 자녀가 되었으니 다시는 싸우거나 욕심 부리는 죄를 짓지 않을 수 있을까? 아니요.
그러면 예수님이 너의 마음에서 떠나실까? "내가 결코 너를 떠나지도 않고 버리지도 않겠다" (히브리서 13장 5절을 읽게 한다).
그래, 너의 마음속에 오신 예수님은 너를 떠나지도 버리지도 않으셔. 항상 너와 함께 계시면서 네가 옳은 일을 할 수 있도록 힘과 용기를 주신단다.

2

교회가 나뉘었어요

고전 1:10~31

단원 암송

내가 그리스도와 함께 십자가에 못 박혔나니
그런즉 이제는 내가 사는 것이 아니요 오직
내 안에 그리스도께서 사시는 것이라 이제
내가 육체 가운데 사는 것은 나를 사랑하사
나를 위하여 자기 자신을 버리신 하나님의
아들을 믿는 믿음 안에서 사는 것이라(갈 2:20).

성경의 초점

하나님은 왜 우리가 순종하기를 바라시나요?
하나님의 사랑에 대한 우리의 응답이
순종이기 때문이에요.

본문 속으로

바울은 두 번째 전도 여행 중에 그리스 남부 지역인 고린도에 교회가 세워지도록 도왔습니다. 고린도는 교회가 필요한 곳이었습니다. 온갖 악행으로 유명한 도시였기 때문입니다. 바울은 18개월 동안 고린도에 머문 뒤, 다른 지역에 복음을 전하고 교회를 세우기 위해 다시 여행을 떠났습니다.

그로부터 6년 후 바울은 고린도에서 온 성도 글로에를 통해 교회가 어려움을 겪고 있다는 소식을 들었습니다. 교회는 분열되었고 여러 가지 죄의 문제에 빠져 있었습니다. 심지어 부활을 부정하는 사람도 있었습니다! 이런 소식을 들은 바울은 분명히 괴로웠을 것입니다. 그는 결국 고린도 교회에 편지를 쓰기 시작했습니다.

바울이 처음 다룬 문제는 교회의 분열이었습니다. 아무리 바울이 다른 여러 문제를 해결하도록 도와준다 해도 분열된 모습으로는 고린도라는 악한 도시에 선한 영향을 미치는 교회가 되지 못할 것이기 때문입니다. 글로에의 소식에 따르면 고린도 교회에 몇몇 분파가 생겼습니다. 어떤 사람들은 바울을 따른다고 주장했습니다. 어떤 사람들은 아볼로를, 또 다른 사람들은 베드로를 따른다고 주장했습니다. 심지어 어떤 이들은 예수님을 따른다고 주장하기도 했지만 겉으로만 그럴듯한 말이었습니다. 이 사람들은 그저 남들보다 조금이라도 더 영적으로 보이고 싶었을 뿐입니다.

바울은 고린도 성도들에게 분열되어서는 안 된다고 말했습니다. 바울은 그들이 예수님을 믿는 믿음으로 하나가 되어야 한다고 했습니다. 예수님은 나누어지지 않습니다. 우리를 위해 십자가에서 죽으신 분은 오직 예수님 한 분뿐입니다. 바울의 메시지는 분명했습니다. 복음은 성도들을 분열시키는 것이 아니라, 하나가 되게 한다는 것입니다.

티칭 포인트

아이들을 포함해 우리는 모두 편 가르기 전문가입니다. 죄와 이기심은 편을 가르지만, 예수님과 복음은 나뉜 것을 하나 되게 합니다. 하나님은 다양한 아름다움을 지닌 사람들이 진정으로 하나가 되는 것이 무엇인지 보여 주는 교회를 설계하셨습니다. 바울이 고린도 성도들에게 전했던 메시지가 여러분과 아이들의 마음속에 뿌리내리게 해 달라고 기도하십시오. 하나님이 우리가 만들어 낸 장벽을 허무시고, 아이들이 그리스도 안에서 형제자매로 하나 되게 해 주시길 기도하십시오.

주 제

바울은 그리스도인은 예수님을 믿는 믿음으로 하나가 되어야 한다고 말했어요.

가스펠 링크

예수님과 예수님이 베푸신 구원으로 인해 그리스도인들은 겸손하게 한 몸이 될 수 있어요.

교회가 나뉘었어요 고전 1:10~31

고린도는 온갖 악행으로 소문난 도시였어요. 교회가 꼭 필요한 곳이었지요. 바울은 고린도에 교회를 세우고 그곳에서 1년 반을 머물렀어요. 그런 다음 복음을 전하기 위해 다른 곳으로 떠났어요. 그로부터 6년 후 바울은 고린도 교회가 어려움을 겪고 있다는 소식을 들었어요. 성도들이 서로 다투는가 하면, 자신들의 믿음에 의문을 품기도 했어요. 그래서 바울은 교회가 문제를 해결하도록 돕기 위해 편지를 보냈어요.

고린도 성도들은 여러 편으로 나뉘어 있었어요. 어떤 무리는 바울 편이라고 으스댔어요. 어떤 무리는 아볼로 편이라 하고, 또 다른 무리는 베드로 편이라고 했어요. 심지어 예수님 편이라고 주장하는 무리도 있었어요. 바울은 서로 편을 가르면 안 된다고 말했어요. 그리스도인은 한마음으로 같은 것을 믿어야 해요. 바울은 편지에 그리스도인이 예수님을 믿는 믿음으로 하나가 되어야 한다고 썼어요.

"예수님이 나뉘었습니까? 십자가에서 여러분을 위해 죽은 사람이 바울입니까? 아니면 여러분이 바울의 이름으로 세례를 받았습니까?"라고 바울이 물었어요. 당연히 아니지요! 예수님은 십자가에서 죽으셨고, 그리스도인은 예수님의 이름으로 세례를 받아요. 우리는 복음으로 하나가 되어야 해요. 바울은 예수님을 주님으로 믿는 그리스도인은 모두 사이좋게 지내며 서로를 사랑해야 한다고 했어요.

바울은 잃어버린 자들에게는 예수님에 관한 복음이 어리석은 것처럼 보인다고 말했어요. 잃어버린 자들이란 예수님을 믿지 않는 사람들을 말해요. 하지만 예수님을 믿는 사람들에게 십자가는 하나님의 능력이에요. 많은 사람이 자신이 아는 것이 많다고 생각하지만 그들이 아는 것은 세상의 지혜일 뿐, 하나님에 대해서는 알지 못해요. 그래서 그들에게는 복음이 어리석은 일처럼 들리는 거예요.

바울은 고린도 성도들에게 하나님이 그들을 하나님의 가족으로 선택하셨다는 사실을 생각해 보라고 말했어요. 하나님은 사람을 그의 지혜나 능력이나 환경을 보고 선택하지 않으세요. 바울은 하나님이 예수님을 믿는 사람을 구원하신다고 말했어요. 자신의 노력으로 구원받을 수 있는 사람은 아무도 없어요. 그러므로 아무도 구원받은 것을 자랑할 수 없어요. 고린도 성도들이 자랑해야 할 것이 있다면, 그것은 예수님과 예수님이 하신 일이었어요.

●● 가스펠 링크

바울이 고린도 성도들에게 복음으로 하나가 되라고 말했어요. 죄인을 구원하는 분은 예수님이시라는 사실을 강조했지요. 예수님과 예수님이 하신 일 덕분에 그리스도인들은 겸손하게 한 몸이 될 수 있어요.

가스펠 준비
(10~20분)

환영

도착하는 아이들을 반갑게 맞이하고 헌금, 출석, QT 등을 확인하며 격려한다. 새 친구가 있다면 소개한다. 편안한 분위기에서 안부를 물으며 오늘의 말씀과 관련된 화제로 이야기를 나눈다. 아이들에게 친구와 의견이 맞지 않았던 적이 있는지 물어본다. 어떤 상황이었는지 이야기를 나눈다. 자발적으로 대화에 참여하도록 이끈다.

예) "친구와 서로 의견이 맞지 않았던 적이 있나요?", "친구의 의견이 왜 이해되지 않았나요?" 등.

마음 열기

버스 타기 *

준비물 **마스킹 테이프**

① 예배실 바닥에 마스킹 테이프로 1m 간격으로 선을 2개 표시하고, 아이들을 선 주위에 세운다.

② 인도자가 한 쌍의 단어를 말하면, 첫 번째 단어가 마음에 드는 사람은 오른쪽 선을 발로 밟으며 "버스에서 내린다!"라고, 두 번째 단어가 마음에 드는 사람은 왼쪽 선을 발로 밟으며 "버스에 탄다!"라고 말하라고 한다.

예) 여름/겨울, 개/고양이, 피자/샌드위치, 노랑/파랑, 아침/저녁, 샤워/목욕, 농구/야구, 비디오 게임/보드게임 등.

③ 다음 단어들을 말하기 전에 각 단어를 고른 이유를 아이들에게 물어본다.

— 여름이 좋은 사람 손들어 보세요. 겨울이 좋은 사람과 사이좋게 여행할 수 있나요? 피자가 좋은 사람 손들어 보세요. 샌드위치가 좋은 사람과 사이좋게 식사할 수 있나요? 오늘 성경 이야기에는 어떤 교회 성도들이 서로의 다른 점 때문에 편이 갈라졌다는 내용이 나와요. 바울은 그들에게 편지를 써서 하나가 되라고 말했어요. 가장 중요한 것은 예수님을 믿는 믿음이니까요.

나는야, 퍼즐광 *

DVD **준비물** **2과 일러스트**(지도자용 팩), **가위, 스톱워치**

① 2과 일러스트를 3장 출력해, 그림을 10조각, 20조각, 30조각으로 각각 오려 둔다.

② 아이들에게 퍼즐을 주고 맞춰 보라고 한다.

③ 각 퍼즐을 완성하는 시간을 측정한다.

— 오늘은 고린도 교회 이야기를 들을 거예요. 바울은 고린도 교회가 분열되었다는 말을 듣고 편지를 썼어요. 성도들의 하나 됨에 관해 바울이 무엇이라고 말했는지 함께 알아보기로 해요.

교사를 위한 기록장 이 과를 준비하면서 깨닫게 된 묵상을 정리해 보세요.

· 하나님이나 나에 대해 새롭게 알게 된 것은?

· 기억해야 할 하나님의 말씀은?

· 아이들에게 전하고 싶은 메시지는?

가스펠 **설교**
(15~30분)

들어가기

준비물 **모자, 배낭, 선글라스 또는 고글, 성경**

모자를 쓰고, 배낭을 메고, 선글라스를 쓰고 들어온다. 배낭을 바닥에 내려놓고, 선글라스를 벗는다.

안녕하세요! 히말라야 베이스캠프에 다시 온 것을 환영합니다! 저는 일주일 내내 이곳에 있을 거예요. 원래는 이번 주에 산을 오르려고 했는데, 남쪽 골짜기를 잇는 밧줄 다리가 끊어져서 가지 못했어요. 그 골짜기가 없었다면 더 좋았을 거라는 생각이 들어요. 그러면 산이 골짜기로 나뉘지도 않고 등산하기도 훨씬 수월했을 테니까요!

무언가가 갈라지고 나뉘는 것은 좋지 않은 일인 것 같아요. 그러고 보니 오늘 들을 성경 이야기가 생각나네요. 배낭에서 성경을 꺼낸다. 여러분도 저와 함께 놀라운 성경 이야기를 들으면 좋겠어요. 이제 성경 이야기를 시작해 볼까요?

연대표

바울이 베드로의 행동을 나무랐어요

교회가 나뉘었어요

교회 안에 차별이 생겼어요

서로 사랑하라

교회 지도자들에게 권면했어요

우리는 하나님의 자녀예요

성경은 우리를 향한 하나님의 사랑 이야기예요! 그동안 초대교회 이야기와 예수님에 관한 좋은 소식인 복음이 세상으로 퍼져 나가기 시작하는 이야기를 들었어요. 사도이자 선교사였던 바울은 사람들에게 예수님을 전했고, 교회를 세우는 데에도 많은 도움을 주었어요. 바울은 여러 지역에 있는 교회에 편지를 보냈어요. 오늘 성경 이야기는 바울이 분열된 교회에 보낸 편지에 관한 내용이에요.

성경의 초점

지난주에 새로운 '성경의 초점'을 배웠지요? **"하나님은 왜 우리가 순종하기를 바라시나요?"** 정말 좋은 질문이에요. 어떤 사람들은 하나님이 천국에 가는 조건으로 우리에게 순종을 요구하신다고 생각해요. 하지만 구원은 우리의 노력으로 얻을 수 있는 것이 아니지요. 우리를 사랑하시는 하나님은 우리를 죄에서 구하려고 예수님을 보내셨어요. 구원은 하나님이 값없이 주시는 선물이에요! 우리 함께 '성경의 초점' 질문과 답을 말해 보아요. **하나님은 왜 우리가 순종하기를 바라시나요? 하나님의 사랑에 대한 우리의 응답이 순종이기 때문이에요.**

성경 이야기

DVD 고린도전서 1장을 펴고, 설교 영상(지도자용 팩)을 보여 주거나 이야기 성경을 들려준다. 바울, 아볼로, 게바(베드로), 그리스도 파로 나뉘었다는 성경 이야기가 나오면 교사들에게 마스킹 테이프를 이용해 예배실을 4개의 영역으로 나누라고 한다. 그리고 그리스도인들이 서로 하나가 되어야 한다는 이야기가 나올 때에는 마스킹 테이프를 제거해 하나가 되었다는 것을 보여 준다.

바울은 고린도 교회에 편지를 썼어요. 고린도 성도들 사이에 다툼이 생겨 법정에 가게 되었기 때문이에요. 한번 상상해 보세요. 교회에 갔더니 모두 소리를 지르며 싸우고, 교회의 최고 지도자가 누구인지를 두고 편이 갈라진 모습을요. 그런 곳에서 하나님께 기도하고 예배드릴 수 있을까요? 바울은 성도들에게 그것은 잘못된 행동이라고 말했어요. **바울은 그리스도인은 예수님을 믿는 믿음으로 하나가 되어야 한다고 말했어요.**

다툼을 일으킬 만한 이유를 찾는 일은 어렵지 않아요. 오늘날에도 많은 사람이 서로 다른 점을 두고 다투지요. 사람들이 편을 가르도록 만드는 생각은 어떤 것들이 있을까요? 아이들의 대답을 기다린다. 오늘날의 성도들도 수백 년 전 성도들과 마찬가지로 다른 생각과 신념 때문에 서로 편을 나누었어요. 이 세상 사람들과 어떤 관계를 맺어야 하는지, 정부는 국민을 어떻게 이끌어야 하는지, 심지어 하나님을 어떻게 따라야 하는지에 관해서도 서로 다른 의견을 가졌지요. 바울은 그리스도인은 예수님과 복음에 집중해야 한다고 말했어요. 복음의 장점은 모든 사람을 하나 되게 한다는 거예요. 교회는 정말 다양한 배경을 가진 사람들로 이루어져 있어요. 저마다 좋아하는 것도 다르고 의견도 다르지요. 하지만 서로 생각이 달라도 그리스도인들은 사이좋게 지낼 수 있어요. 누가 우리에게 잘못을 저질러도 하나님이 예수님을 통해 우리를 용서하셨기 때문에 우리도 용서할 수 있어요.

서로의 모습과 생각이 달라도 하나가 되어 사는 우리를 세상 사람들이 이해하지 못할 수도 있어요. 하지만 바로 이것이 하나님이 우리에게 바라시는 삶의 모습이에요. 하나님의 방식이 우리 방식보다 훨씬 낫지요. 하나님은 우리에게 성령님을 주셔서 우리가 다른 그리스도인들과 관계를 맺을 때 하나님을 믿고 의지할 수 있도록 도와주세요.

가스펠 링크

바울이 고린도 성도들에게 복음으로 하나가 되라고 말했어요. 죄인을 구원하는 분은 예수님이시라는 사실을 강조했지요. 예수님과 예수님이 하신 일 덕분에 그리스도인들은 겸손하게 한 몸이 될 수 있어요. 예수님은 우리를 예수님과 한 가족이 되게 해 주셨어요. 하나님은 우리를 구원하실 때 우리의 지혜나 능력을 보지 않으세요. 예수님을 믿는 사람을 구원하시지요. 우리가 자랑할 것은 예수님과 예수님이 하신 일이에요.

복음 초청

성경과 21쪽 복음 초청 가이드를 이용해서 아이들에게 그리스도인이 되는 법을 설명해 준다. 따로 상담해 줄 사람을 정해 주고 궁금한 점이 있으면 물어보도록 격려한다.

이 시간 예수님을 마음에 모시고 싶은 친구는 함께 기도해요.

기도

하나님, 예수님을 우리에게 보내 주셔서 참으로 감사합니다. 우리의 모습과 생각은 서로 다르지만, 예수님 안에서 하나라는 것을 배웠습니다. 다툼과 분열이 있을 때마다 하나님의 말씀을 기억하게 해 주세요. 예수님의 죽음과 부활을 마음에 새기며 하나님의 자녀로 살아갈 수 있도록 함께해 주세요. 예수님의 이름으로 기도합니다. 아멘.

적용

TIP 설교 도입이나 적용으로 활용하거나 영상을 본 뒤 소그룹으로 나누어 풍성한 대화를 이어 갈 수 있습니다.

친구들과 함께 팀을 이뤄 무엇인가를 했던 경험을 떠올려 보세요. 그 경험을 생각하며 오늘의 영상을 함께 보아요.

적용 예화 영상(지도자용 팩)을 보여 준 후, 다음의 질문으로 이야기를 나눈다.

1. 로켓이 날 수 있을까요? 왜 그렇게 생각하나요?
2. 오늘 성경 이야기에 나오는 교회는 어떻게 편을 갈랐나요?
3. 오늘날 그리스도인을 분열시키는 것은 어떤 것들이 있을까요? 서로 의견이 달라도 괜찮을까요?
4. 어떻게 하면 예수님 안에서 하나가 될 수 있을까요?

우리는 예수님 안에서 한 가족이에요. 하나님은 교회라는 모습으로 협력하도록 우리를 부르셨어요. 우리는 서로 다르지만 가장 중요한 것을 위해, 그러니까 예수님의 복음을 위해 힘을 모아 헌신할 수 있어요.

가스펠 **소그룹**
(10~20분)

나침반

마지막 퍼즐

준비물 **1단원 암송(110쪽), 가위**

① 1단원 암송을 복사해 여러 조각으로 자른 후, 퍼즐 조각 하나를 예배실에 숨겨 둔다.

② 아이들에게 퍼즐을 나누어 주고 맞춰 보라고 한다.

③ 숨겨 둔 빠진 퍼즐 조각을 찾아 문장을 완성하라고 한다.

④ 완성한 암송 구절을 큰 소리로 함께 읽는다.

— **바울은 그리스도인은 예수님을 믿는 믿음으로 하나가 되어야 한다고 말했어요.** 우리는 예수님을 믿고 의지하기 전에는 자신을 위해 살았어요. 추구하는 것도 모두 달랐지요. 하지만 복음은 우리가 하나가 되어 같은 목적을 위해 살게 만들어요. 바로 예수님을 알고 사랑하는 것, 예수님을 세상에 전하는 것이 우리의 목적이지요.

보물 지도

1, 2, 3 중에

준비물 **성경, A4용지, 마커, 접착테이프**

① 종이에 각각 '1', '2', '3'이라고 쓰고, 예배실 벽에 하나씩 붙인다.

② 아이들에게 성경을 나누어 주고 고린도전서를 펴게 한다.

③ 고린도전서는 구약과 신약 중 어디 있는지(신약), 신약에서도 어느 부분에 해당하는지(바울 서신) 물어본다.

④ 인도자가 질문과 보기를 읽으면, 정답에 해당하는 숫자에 가서 서라고 한다.

⑤ 정답을 확인한 후, 아이들을 가운데로 모은 다음 새로운 문제를 낸다.

1 고린도 교회의 문제점은 무엇이었나요? (고전 1:11)

1) 예수님이 누구인지 잊었다 2) 우상을 숭배했다 3) 교회에 분쟁이 있었다

2 바울은 무엇이 그리스도인을 하나가 되게 한다고 말했나요? (고전 1:13, 17)

1) 음식 2) 복음 3) 운동

3 하나님은 하나님의 무엇이 되게 하려고 그리스도인을 선택하셨나요? (요 1:12)

1) 가족 2) 동아리 3) 단체

4 **하나님은 왜 우리가 순종하기를 바라시나요?**

1) 하나님의 사랑을 얻어야 하기 때문이에요.

2) 하나님의 사랑에 대한 우리의 응답이 순종이기 때문이에요.

3) 하나님은 우리가 하나님께 순종하든 하지 않든 신경 쓰지 않으세요.

— 서로 편을 가를 이유를 찾기는 쉬워요. 수많은 부분에서 서로 생각이 다르기 때문이에요. 하지만 예수님이 하나님의 아들이시고, 죄인들을 구하기 위해 십자가에서 죽으시고 부활하셨다는 사실을 똑같이 믿는다면 우리는 하나가 되어야 해요. **바울은 그리스도인은 예수님을 믿는 믿음으로 하나가 되어야 한다고 말했어요.** 예수님과 예수님이 하신 일 덕분에 그리스도인들은 겸손하게 한 몸이 될 수 있어요.

탐험하기

제자리로

준비물 **학생용 교재 8쪽, 연필**

① 조각난 그림을 알맞은 자리로 연결해 그림을 완성하게 한다.

② 완성한 그림을 보고 어떤 일이 일어났는지 성경 이야기를 적어 보라고 한다.

예시

고린도 성도들은 서로 다투었어요. 모두 자신의 믿음이 옳다고 생각했기 때문이에요. 하지만 우리는 오직 예수님 한 분만 믿어야 해요. 예수님만이 우리를 구원하시기 때문이에요.

— 그림만 보아도 고린도 성도들이 서로 미워하는 것이 보여요. 그들은 교회 안에서 편을 갈랐어요. 하지만 하나님의 아들 예수님을 믿고 그분이 우리를 위해 십자가에서 죽으시고 부활하셨다는 사실을 믿는다면 하나가 될 수 있어요. **바울은 그리스도인은 예수님을 믿는 믿음으로 하나가 되어야 한다고 말했어요.**

하나로 모아 봐!

준비물 **학생용 교재 9쪽, 연필**

주제 문장이 되도록 4칸씩 묶어 보라고 한다. 묶음 안에 있는 문구는 순서대로 나열되지 않아도 된다고 알려 준다.

— 바울은 중요한 이야기를 전했어요. **바울은 그리스도인은 예수님을 믿는 믿음으로 하나가 되어야 한다고 말했어요.** 때로는 우리도 편을 가르거나 다툴 때가 있어요. 서로 생각이 다르기 때문이에요. 나와 생각이 다르더라도 서로 미워하고 편을 가르는 것이 아니라 예수님의 십자가 사랑을 기억하며 하나가 되어야 해요.

짝과 함께 *

준비물 **간식**(개별 포장된 사탕, 스낵바)

① 동성끼리 2명씩 짝을 짓고, 나란히 서서 팔로 서로의 허리를 감싸게 한다.

② 각 팀에 포장된 사탕을 나누어 주고, 허리를 감싸지 않은 손만 사용해 포장을 뜯으라고 한다.

③ 사탕 포장을 가장 먼저 뜯은 팀이 이긴다.

— 친구와 힘을 합쳐 참 잘 해냈어요. **바울은 그리스도인은 예수님을 믿는 믿음으로 하나가 되어야 한다고 말했어요.** 모든 것에 대해 같은 생각을 가질 수는 없어요. 하지만 예수님에 관해서는 모두 같은 생각이지요. 예수님은 죄인을 구해 가족이 되게 하려고 십자가에서 죽으시고 다시 살아나셨어요. 이 모든 것은 하나님의 영광을 위한 일이었지요.

보물 상자

나만의 기록장

준비물 **학생용 교재 10쪽, 연필**

아이들에게 다음 질문에 대해 생각하고 글로 써 보라고 한다.

이 성경 이야기가 말하고 있는…

· 하나님이나 복음에 관한 사실은?

· 나에 관한 사실은?

· 순종해야 할 하나님의 말씀은? 그 말씀은 어떻게 하나님께 영광이 되고, 나에게는 유익이 될까요?

· 기억해야 할 하나님의 약속은? 그 약속은 내가 하나님을 믿고 사랑하는 데 어떤 도움이 되나요?

메시지 카드

이번 주 메시지 카드로 부모님과 함께 오늘 배운 성경 이야기를 나누어 보라고 한다.

기도

하나님, 예수님 안에서 하나라고 말하면서도 친구를 미워하거나 편을 가를 때가 있습니다. 생각이 다르고 좋아하는 것이 달라도 예수님의 사랑 안에서 하나가 될 수 있도록 우리의 마음을 새롭게 해 주세요. 우리의 믿음과 사랑이 더욱 커지도록 도와주세요. 예수님의 이름으로 기도합니다. 아멘.

3

교회 안에 차별이 생겼어요

약 2:1~13

단원 암송

내가 그리스도와 함께 십자가에 못 박혔나니 그런즉 이제는 내가 사는 것이 아니요 오직 내 안에 그리스도께서 사시는 것이라 이제 내가 육체 가운데 사는 것은 나를 사랑하사 나를 위하여 자기 자신을 버리신 하나님의 아들을 믿는 믿음 안에서 사는 것이라(갈 2:20).

성경의 초점

하나님은 왜 우리가 순종하기를 바라시나요? 하나님의 사랑에 대한 우리의 응답이 순종이기 때문이에요.

본문 속으로

예수님이 이 땅에서 사역하실 때, 많은 유대인이 예수님이 그리스도이며 하나님의 아들이시라는 사실을 믿지 않았습니다. 예수님의 형제 야고보도 그중 하나였습니다. 그러나 십자가에 못 박히고 부활하신 예수님은 야고보에게 나타나셨습니다. 마침내 야고보도 예수님이 하나님의 아들이시라는 사실을 믿게 되었습니다. 훗날 야고보는 예루살렘 교회의 지도자가 되어 초대교회에서 중요한 역할을 감당했습니다.

초대교회의 성도는 대부분 유대인이었습니다. 이는 교회가 이스라엘에 있었다는 점에서 당연해 보이기도 합니다. 또한 이는 유대에서 시작해 온 세상으로 퍼져 나가라 하신 예수님의 사명이 나온 배경이기도 합니다. 야고보는 여러 지역에 흩어진 유대인 성도들에게 편지를 썼습니다. 야고보는 그들이 예수님을 믿는 믿음 안에서 어떻게 살아야 하는지 이해할 수 있도록 도와주었습니다.

야고보는 복음대로 사는 한 가지 방법은 사람을 차별하지 않는 것이라고 말했습니다. 그는 부유한 사람과 가난한 사람을 차별하는 교회의 모습을 예로 들어 설명했습니다. 부유한 사람을 더 잘 대하는 것이 사람들의 자연스러운 반응입니다. 그러나 야고보는 하나님은 차별하는 분이 아니시라고 말했습니다. 하나님은 부유하든 가난하든 모든 사람을 똑같이 대하십니다. 복음으로 너그럽게 대하시지요. 이와 같이 하나님의 친절을 경험한 우리도 모든 사람을 사랑과 너그러움으로 평등하게 대하는 것이 마땅합니다.

●● 티칭 포인트

이번 과는 지난 과의 내용과 잘 이어집니다. 아마 몇몇 아이들은 하나가 된다는 것을 그저 다른 사람과 잘 지내고 다투지 않는 정도로만 생각할 것입니다. 하지만 하나님은 우리가 사람들과 더 깊은 관계를 맺으며 하나 되기를 바라십니다. 복음을 믿는 사람이라면 예수님이 우리에게 보여 주신 것과 같은 사랑과 긍휼과 은혜로 서로를 대해야 한다는 사실을 아이들에게 알려 주십시오.

주 제

야고보는 예수님이 우리를 긍휼히 여기셨듯이 우리도 다른 사람을 긍휼히 여겨야 한다고 말했어요.

가스펠 링크

예수님이 우리를 긍휼히 여기셨기 때문에 우리도 다른 사람을 긍휼히 여겨야 해요.

이야기 성경

교회 안에 차별이 생겼어요 약 2:1~13

초대교회에는 지도자들이 많았어요. 지도자들은 성도들을 가르치고, 그들이 계속해서 예수님을 따를 수 있도록 격려해 주었어요. 또 성도들이 죄를 지을 때는 바로잡아 주었지요. 예수님의 형제, 곧 마리아와 요셉의 아들인 야고보도 이런 지도자 중 한 사람이었어요.

야고보는 예루살렘 교회의 지도자였어요. 그는 여러 지역에 흩어진 유대인 성도들에게 편지를 보내 그리스도인이 어떻게 살아야 하는지 알려 주었어요. 예수님을 믿는 사람은 선하고 옳은 행동으로 자신이 진정으로 예수님을 믿는다는 사실을 보여 준다고 했지요. 야고보는 차별하지 않는 것도 옳은 행동이라고 가르쳤어요. 차별하지 않는다는 것은 모든 사람을 똑같이 대한다는 뜻이에요. 그 누구도 더 중요하거나 덜 중요한 사람은 없기 때문이에요.

야고보가 말했어요. "여러분이 모여 있는 곳에 금반지를 끼고 화려한 옷을 입은 사람이 왔다고 생각해 봅시다. 그리고 낡고 더러운 옷을 입은 가난한 사람도 왔습니다. 이때 화려한 옷을 입은 사람에게는 관심을 보이며 앉을 곳을 내어 주고, 가난한 사람에게는 '저쪽에 서 있으시오'라고 하거나 '바닥에 앉으시오'라고 말한다면, 이것이 옳은 행동입니까? 그렇게 한다면 여러분은 가난한 사람을 차별한 것입니다."

야고보는 하나님은 차별하는 분이 아니시라고 말했어요. 하나님은 부자를 가난한 사람보다 더 잘 대하거나 가난한 사람을 부자보다 더 잘 대하지 않으세요. 하나님을 사랑하는 모든 사람을 위해 하늘나라에 자리를 준비해 두셨어요. 하나님은 "네 이웃을 네 몸과 같이 사랑하라"라는 법을 우리에게 주셨어요. 누군가를 다른 사람보다 특별하게 대하는 것은 하나님의 법을 어기는 일이에요.

야고보는 성도들에게 하나님이 그들을 긍휼히 여기신 것처럼 다른 사람을 긍휼히 여기라고 말했어요. 그들은 죄인이었지만, 하나님이 아들이신 예수님을 통해 그들의 죄를 용서해 주셨으니까요. 야고보는 분명하게 말했어요. "긍휼은 심판을 이깁니다."

● ● 가스펠 링크

야고보는 성도들이 가난한 자를 차별하는 잘못을 하고 있다고 말했어요. 그는 예수님이 서로 사랑하라고 명령하신 사실을 강조했어요. 예수님이 우리를 긍휼히 여기셨기 때문에 우리도 다른 사람을 긍휼히 여겨야 해요.

가스펠 준비
(10~20분)

환영

도착하는 아이들을 반갑게 맞이하고 헌금, 출석, QT 등을 확인하며 격려한다. 새 친구가 있다면 소개한다. 편안한 분위기에서 안부를 물으며 오늘의 말씀과 관련된 화제로 이야기를 나눈다. 아이들에게 좋아하는 연예인이나 운동선수가 다가와 옆에 앉는다고 상상해 보라고 한다. 무슨 말을 할지, 어떤 행동을 할지 물어본다. 자발적으로 대화에 참여하도록 이끈다.

예) "좋아하는 연예인이나 운동선수가 여러분 옆에 앉는다면 어떨 것 같나요?", "무슨 말을 할 건가요?", "친구나 가족을 대하는 것과 어떻게 다를까요?" 등.

— 특별하게 생각하는 사람을 만난다면 그 사람을 대하는 태도도 달라지겠지요? 하지만 이런 행동이 누군가에게는 차별로 느껴질 수 있어요. 바로 우리 마음의 태도 때문이지요. 바울은 이런 행동에 대해 무엇이라고 했는지 함께 알아보아요.

마음 열기

가장 좋아하는 것은? *

① 인도자가 질문하면, 동시에 답을 말하게 한다.

- 가장 좋아하는 색깔은 무엇인가요?
- 가장 좋아하는 영화는 무엇인가요?
- 가장 좋아하는 선생님은 누구인가요?
- 가장 좋아하는 책은 무엇인가요?

② 마지막으로 "우리 중에 하나님이 가장 좋아하시는 사람은 누구일까요?"라고 질문하고, 아이들에게 생각할 시간을 준다.

— 누구에게나 가장 좋아하는 것이 있고, 가족이나 친구처럼 함께 시간을 보내고 싶은 사람이 있어요. 오늘 성경 이야기에서 "우리 중에 하나님이 가장 좋아하시는 사람은 누구일까요?"라는 질문의 답을 찾을 수 있을 거예요. 그 답은 무엇인지 잠시 후에 알아보기로 해요.

가장 중요한 사람은? *

DVD 준비물 **'파티에 온 사람들 카드'**(지도자용 팩), **가위**

① '파티에 온 사람들 카드'를 출력해 잘라 둔다.

② 아이들에게 파티를 준비하는 장면을 상상해 보라고 한다.

③ 카드를 나누어 준 뒤 이들이 파티에 초대된 사람들이라고 생각하고 앉을 자리를 정해 보라고 한다.

④ 어떤 기준으로 자리를 정했는지 아이들에게 물어본다.

— 우리는 어떤 사람을 다른 사람보다 더 중요하거나 덜 중요하게 생각하기도 해요. 하나님도 사람을 그렇게 보실까요? 하나님은 모든 사람을 똑같이 사랑하세요. 사람을 차별하지 않으시지요. 오늘 성경 이야기를 통해 차별에 대해 더 배워 보기로 해요.

교사를 위한 기록장 이 과를 준비하면서 깨닫게 된 묵상을 정리해 보세요.

- 하나님이나 나에 대해 새롭게 알게 된 것은?
- 기억해야 할 하나님의 말씀은?
- 아이들에게 전하고 싶은 메시지는?

가스펠 설교
(15~30분)

들어가기

준비물 **모자, 배낭, 선글라스 또는 고글, 성경**

모자를 쓰고, 배낭을 메고, 선글라스를 쓰고 들어온다. 배낭을 바닥에 내려놓고, 선글라스를 벗는다.

안녕하세요, 여러분! 다시 만나서 정말 반가워요! 오늘은 이곳 풍경이 정말 아름답게 느껴지네요. 베이스캠프는 참 좋은 곳이에요. 다음 도전을 위해 짐을 다시 쌀 수 있고, 따뜻하고 맛있는 음식으로 에너지를 충전할 수도 있고, 이렇게 여러분과 함께 쉴 수도 있지요! 배낭에서 성경을 꺼낸다. 저는 등산을 하지 않을 때는 주로 성경을 읽어요. 하나님이 우리에게 말씀을 주셨다는 것이 정말 놀랍지 않나요? 하나님에 관해 알아야 할 모든 것이 바로 이 책 안에 있다니 말이에요. 성경에는 오래전에 있었던 일들에 관한 이야기로 가득해요. 그리고 예수님을 따르는 사람으로서 어떻게 살아야 하는지에 관한 지침도 들어 있지요.

성경의 초점

어쩌면 여러분은 '지침이라고? 하나님은 나를 구원하기 위한 대가로 아무 규칙도 요구하지 않으시는 줄 알았는데?'라고 생각할지도 모르겠어요. 사실 맞는 말이에요. 구원은 하나님의 아들 예수님을 통해 값없이 주어지는 선물이니까요. '성경의 초점'을 복습하면 오해가 좀 풀릴 것 같군요. **하나님은 왜 우리가 순종하기를 바라시나요? 하나님의 사랑에 대한 우리의 응답이 순종이기 때문이에요.**

연대표

우리는 갈라디아 교회에 보내는 편지에서 오직 예수님을 믿는 믿음으로 구원받는다는 것을 배웠어요. 예수님은 유대인과 이방인 모두를 위해 죽으셨어요. 어떤 규칙을 잘 지켜야만 하나님이 우리를 구원하시는 것이 아니지요.

또 교회의 분열에 대해서도 배웠어요. **바울은 그리스도인은 예수님을 믿는 믿음으로 하나가 되어야 한다고 말했어요.** 오늘은 교회에서 생길 수 있는 또 다른 문제를 다루어 볼 거예요. 연대표에서 오늘의 성경 이야기를 가리킨다. 오늘 성경 이야기의 제목은 "교회 안에 차별이 생겼어요"랍니다.

바울이 베드로의 행동을 나무랐어요

교회가 나뉘었어요

교회 안에 차별이 생겼어요

서로 사랑하라

교회 지도자들에게 권면했어요

우리는 하나님의 자녀예요

성경 이야기

DVD 야고보서 2장을 펴고, 설교 영상(지도자용 팩)을 보여 주거나 이야기 성경을 들려준다. 화이트보드를 이용해 그림을 그리며 성경 이야기를 전한다. 또는 자원하는 아이나 교사에게 화려한 옷과 낡고 평범한 옷을 입히고 부자와 가난한 사람 역할을 해 보게 한다.

오늘 성경 이야기는 야고보서에 나와요. 예수님의 형제였던 야고보는 유대인 성도들에게 그들이 어떻게 살아야 하는지 알려 주려고 편지를 썼어요. 그리스도인은 왜 그리스도인이 아닌 사람과 다른 모습으로 살아야 할까요? 그리스도인은 예수님의 죽음과 부활을 통해 하나님께 용서받은 사람들이기 때문에, 더는 자신을 위해 살지 않고 하나님을 위해 살아요. 1단원 '성경의 초점'은 **"하나님은 왜 우리가 순종하기를 바라시나요? 하나님의 사랑에 대한 우리의 응답이 순종이기 때문이에요"**라고 말해요. 성경에 어떻게 살라는 명령이 나와 있다고 해도 그것이 하늘나라에 가기 위한 조건은 아니에요. 하나님은 우리가 하나님을 사랑하기 때문에 그 명령에 순종하기를 바라세요.

그리스도인이 해야 할 일 중 중요한 한 가지는 차별하지 않는 거예요. 우리는 모든 사람을 똑같이 대해야 해요. 쉬운 일은 아니지요! 죄는 우리가 서로 바른 관계를 맺지 못하도록 방해해요. 하지만 누구도 다른 사람보다 더 중요하거나, 덜 중요한 사람은 없어요. 하나님은 모든 사람을 하나님의 형상을 따라 창조하셨어요!

야고보는 이런 예를 들었어요. 어떤 사람이 모임에 왔는데 아주 부자처럼 보였어요. 고급스러운 옷을 입고 금반지도 꼈지요. 잠시 후에 또 다른 사람이 왔어요. 낡고 더러운 옷을 입은 그는 가난한 사람처럼 보였어요. 야고보는 만약 부자에게는 맨 앞자리에 있는 좋은 자리에 앉도록 하고, 가난한 사람에게는 맨 뒤에 가서 앉든지 그냥 서 있으라고 말한다면 그것이 바로 차별이라고 했어요. 하나님은 차별하지 않으세요. 어떤 사람들을 다른 사람들보다 더 특별하게 대하지도 않으시지요. 예수님을 믿고 의지하는 사람은 모두 다 하나님과 영원히 함께 살게 될 거예요.

가스펠 링크

초대교회의 성도들은 가난한 사람들을 차별하는 잘못을 저질렀어요. 야고보는 그들에게 잘못하고 있다고 편지를 썼지요. 그는 예수님이 서로 사랑하라고 명령하신 사실을 강조했어요. 예수님이 우리를 긍휼이 여기시고 우리를 위해 자신의 생명을 버리셨듯이 우리도 다른 사람을 긍휼히 여겨야 해요.

복음 초청

성경과 21쪽 복음 초청 가이드를 이용해서 아이들에게 그리스도인이 되는 법을 설명해 준다. 따로 상담해 줄 사람을 정해 주고 궁금한 점이 있으면 물어보도록 격려한다.

이 시간 예수님을 마음에 모시고 싶은 친구는 함께 기도해요.

기도

하나님, 언제나 변함없이 자비를 베풀어 주시는 하나님을 찬양합니다. 또한, 하나뿐인 아들 예수 그리스도를 선물로 주셔서 감사합니다. 너무나 큰 사랑을 받았으면서도 때때로 다른 사람을 차별하고 편애했던 우리의 죄를 고백합니다. 하나님이 모든 사람을 사랑하시는 것처럼 우리도 사람들을 차별 없이 사랑으로 대할 수 있도록 도와주세요. 예수님의 이름으로 기도합니다. 아멘.

적용

TIP 설교 도입이나 적용으로 활용하거나 영상을 본 뒤 소그룹으로 나누어 풍성한 대화를 이어 갈 수 있습니다.

누군가를 편애한 적이 있나요? 여러분의 사랑을 받지 못한 사람은 어떤 기분이었을까요? 오늘의 영상을 보며 함께 생각해 보아요.

DVD 적용 예화 영상(지도자용 팩)을 보여 준 후, 다음의 질문으로 이야기를 나눈다.

1 제이컵은 친구들을 차별했나요? 친구들은 기분이 어땠을까요?

2 차별을 경험하거나 목격한 적이 있나요? (예 : 학교에서, 친구들과 있을 때, 가정에서, 교회에서 등)

3 어떤 사람이나 집단을 편애한다면 다른 사람들은 기분이 어떨까요?

사람들은 세상에서 차별을 경험해요. 하지만 교회 안에는 차별하는 일들이 있어서는 안 되어요. 오늘 성경 이야기에서 **야고보는 예수님이 우리를 긍휼히 여기셨듯이 우리도 다른 사람을 긍휼히 여겨야 한다고 말했어요.**

차별하지 않는 것은 힘들어요! 어디에나 잘 맞지 않는 사람이 있기 때문이지요. 하지만 하나님은 우리가 옳은 일을 하기를 바라세요. 어렵더라도 말이에요. '성경의 초점'을 잘 기억하세요. **하나님은 왜 우리가 순종하기를 바라시나요? 하나님의 사랑에 대한 우리의 응답이 순종이기 때문이에요.**

가스펠 **소그룹**
(10~20분)

나침반

순서대로 막대기

준비물 **1단원 암송**(110쪽)**, 공작용 나무막대기, 사인펜**

① 나무막대기에 1단원 암송 구절을 어절 단위로 각각 써 둔다.

② 아이들과 함께 암송 구절을 큰 소리로 읽는다.

③ 나무막대기를 섞은 후 아이들에게 나누어 주고, 순서대로 정리하게 한다.

④ 완성한 암송 구절을 여러 번 읽으며 아이들이 외우게 한다.

— '성경의 초점'은 **"하나님은 왜 우리가 순종하기를 바라시나요?"**라고 질문해요. 1단원 암송 구절은 이 질문에 대한 답이에요. 순종은 하나님의 사랑에 대한 우리의 응답이에요. 예수 그리스도를 믿는 우리는 하나님께 순종하지요. 우리는 그리스도와 함께 십자가에 못 박혔어요. 죄를 버리고 예수님께 돌아오면 옛 삶의 방식은 죽고 예수님 안에서 새로운 삶을 살게 되어요. 우리를 사랑하셔서 우리를 위해 자기 자신을 주신 예수님을 믿는 믿음으로 살게 되지요.

맞추고, 맞히고!

준비물 **책상, 색인 카드, 사인펜**

① 1부터 10까지의 숫자를 하나씩 각각 쓴 색인 카드를 2세트 만든다.

② 카드를 섞은 후 숫자가 보이지 않도록 뒤집어서 책상 위에 펼친다.

③ 아이들에게 한 명씩 나와 카드를 2장씩 뒤집으라고 한다.

④ 동시에 뒤집은 카드의 숫자가 같으면, 해당하는 번호의 문제를 낸다.

⑤ 정답을 맞히면, 아이에게 숫자 카드를 준다.

⑥ 정답을 맞히지 못하면, 카드를 다시 뒤집어 두고 다음 아이에게 기회를 준다.

1 야고보서는 어떤 책 다음에 나오나요? 히브리서

2 야고보는 어느 교회의 지도자였나요? 예루살렘 교회

3 야고보는 멀리 떨어져 있는 성도들과 어떻게 연락을 주고받았나요? 편지를 써서

4 야고보는 그리스도인이 무엇을 하면 안 된다고 말했나요?
차별 (약 2:1)

5 차별이란 무엇인가요? 차이를 두어서 구별하는 것

6 차별하지 않는 분은 누구인가요? 하나님

7 성경은 우리가 다른 사람을 어떻게 대해야 한다고 말하나요?
"네 이웃 사랑하기를 네 몸과 같이 하라" (약 2:8)

8 우리를 불쌍하게 여기시는 하나님은 어떤 일을 하셨나요?
예수님을 통해 우리를 용서하시고 죄에서 구원하셨다

9 야고보는 어떻게 다른 사람을 불쌍히 여겨야 한다고 말했나요?
야고보는 예수님이 우리를 긍휼히 여기셨듯이 우리도 다른 사람을 긍휼히 여겨야 한다고 말했다

10 **하나님은 왜 우리가 순종하기를 바라시나요?**
하나님의 사랑에 대한 우리의 응답이 순종이기 때문이에요.

탐험하기

그림 암호를 풀어라!

준비물 **학생용 교재 12쪽, 연필**

그림의 첫 번째 자음 또는 모음을 찾아 조합해 단어를 완성한 후, 각 단어의 뜻에 해당하는 설명에 ○표 하라고 한다.

— 여러분이 찾은 암호는 무엇이었나요? '차별'과 '긍휼'이었어요. 오늘은 차별하는 성도들에게 야고보가 보낸 편지 내용을 배웠어요. **야고보는 예수님이 우리를 긍휼히 여기셨듯이 우리도 다른 사람을 긍휼히 여겨야 한다고 말했어요.** 우리의 기준으로 사람을 차별하는 것이 아니라, 모든 사람이 하나님이 창조하신 소중한 존재인 것을 기억하며 사랑하고 귀하게 여기는 우리가 되기를 바라요.

숨은 단어를 지워라!

준비물 **학생용 교재 13쪽, 연필**

① 초대교회 안에 무슨 일이 생겼는지 물어 본 후, 빈칸에 알맞은 답을 적으라고 한다.

② 그 글자를 **글자판**에서 지운 후 나머지 글자들을 적어 보라고 한다.

교 회 안에 차 별 이 생겼어요.

글자판

야고교보는예회수
님차이우리별를긍교휼
히여회기셨차듯이우별
리도다교른사회람을긍
휼차히여겨별야교한다
고회차말했별어요

야고보는 예수님이
우리에게 긍휼을 베푸셨듯이
우리도 다른 사람을 긍휼히 여겨야
한다고 말했어요.

— 초대교회 성도들이 어떤 사람들을 다른 사람들보다 더 특별하게 대하자 야고보는 그들이 잘못하고 있다고 말했어요. 바로 가난한 사람을 차별한 거예요. 그는 예수님이 서로 사랑하라고 명령하신 사실을 강조했어요. **야고보는 예수님이 우리를 긍휼히 여기셨듯이 우리도 다른 사람을 긍휼히 여겨야 한다고 말했어요.**

대장님, 갈까요? *

① '대장'을 한 명 정하고, 나머지 아이들은 '졸병'이라고 말해 준다.

② 대장과 졸병들을 예배실 양쪽 끝에 따로 세운다.

③ 졸병들에게 한 명씩 차례대로 "대장님, (숫자)걸음 앞으로 갈까요?"라고 물으라고 한다. (예 : "대장님, 3걸음 앞으로 갈까요?", "대장님, 4걸음 아기걸음으로 갈까요?" 등)

④ 대장은 "그래, 가도 돼"라고 대답하거나, "아니, 안 돼"라고 대답할 수 있다고 말해 준다.

⑤ 누가 앞으로 갈지는 대장이 결정할 수 있으며, 대장에게 먼저 도착한 사람이 이긴다고 설명해 준다.

⑥ 정해진 시간 안에서 놀이를 여러 번 반복한 후, 아이들에게 불공평한 점을 느꼈는지 물어본다.

— 놀이하는 동안 대장이 여러분을 차별했나요? 아니면 모든 사람이 다 앞으로 나오게 했나요? 차별하는 것은 마치 하나님이 모든 사람을 평등하지 않게 창조하신 것처럼 행동하는 것과 같아요. 하나님은 모든 사람을 사랑하시기 때문에 우리도 모든 사람을 존중해야 해요. 오늘 성경 이야기에서 **야고보는 예수님이 우리를 긍휼히 여기셨듯이 우리도 다른 사람을 긍휼히 여겨야 한다고 말했어요.**

보물 상자

나만의 기록장

준비물 **학생용 교재 14쪽, 연필**

아이들에게 다음 질문에 대해 생각하고 글로 써 보라고 한다.

이 성경 이야기가 말하고 있는…

· 하나님이나 복음에 관한 사실은?

· 나에 관한 사실은?

· 순종해야 할 하나님의 말씀은? 그 말씀은 어떻게 하나님께 영광이 되고, 나에게는 유익이 될까요?

· 기억해야 할 하나님의 약속은? 그 약속은 내가 하나님을 믿고 사랑하는 데 어떤 도움이 되나요?

메시지 카드

이번 주 메시지 카드로 부모님과 함께 오늘 배운 성경 이야기를 나누어 보라고 한다.

기도

하나님, 우리를 변함없이 사랑해 주셔서 감사합니다. 그런데 그 사랑을 잊고 다른 사람을 우리 마음대로 판단하고 차별할 때가 있습니다. 용서해 주세요. 하나님이 주시는 마음으로 사람들을 사랑하고 존중할 수 있도록 도와주세요. 차별과 편애가 아닌 사랑과 긍휼을 실천할 수 있는 우리가 되도록 은혜를 베풀어 주세요. 예수님의 이름으로 기도합니다. 아멘.

4 서로 사랑하라

요일 3:10~18

단원 암송

내가 그리스도와 함께 십자가에 못 박혔나니 그런즉 이제는 내가 사는 것이 아니요 오직 내 안에 그리스도께서 사시는 것이라 이제 내가 육체 가운데 사는 것은 나를 사랑하사 나를 위하여 자기 자신을 버리신 하나님의 아들을 믿는 믿음 안에서 사는 것이라(갈 2:20).

성경의 초점

하나님은 왜 우리가 순종하기를 바라시나요? 하나님의 사랑에 대한 우리의 응답이 순종이기 때문이에요.

본문 속으로

사도 요한은 예수님과 아주 가까운 제자였습니다. 베드로, 야고보와 함께 언제나 예수님의 곁에 있었지요. 요한은 심지어 요한복음에서 자신을 "예수님이 사랑하시는 자"라고 표현했습니다. 그렇기에 예수님이 승천하신 지 50년이 지난 후 요한이 성도들에게 예수님이 어떤 분이신지에 관해 편지를 쓴 것은 당연한 일입니다. 요한의 메시지에는 하나의 핵심 주제가 있습니다. 바로 '사랑'입니다.

요한은 하나님은 사랑이시며, 성도들이 정말로 하나님을 사랑한다면 서로 사랑하게 된다고 적었습니다. 서로를 향한 사랑은 예수님이 우리를 위해 하신 것처럼 상대방을 위해 기꺼이 목숨을 내어줄 수 있을 만큼 깊고 진실해야 합니다. 이렇게 깊고 진실한 사랑을 통해 세상은 복음의 참 모습을 알게 됩니다.

오늘날 사랑에 관한 이야기 가운데 많은 것들이 사랑의 진정한 의미를 왜곡합니다. 이러한 문화적 분위기 속에서 아이들은 어떤 식으로든 영향을 받고 있습니다. 아마도 아이들은 사랑을 단순한 감정이나 일시적인 것, 또는 노력으로 얻어야 하는 것쯤으로 생각하고 있을지도 모릅니다.

● ● 티칭 포인트

이번 과는 아이들에게 세상이 말하는 사랑에 관한 거짓된 통념을 들추어내는 동시에 진실한 하나님의 사랑을 가르쳐 줄 좋은 기회가 될 것입니다. 아이들이 처한 상황을 신중하게 다루십시오. 많은 아이가 사랑받지 못한다고 느낄 수도 있습니다. 사랑하는 사람에게 상처를 받았을지도 모릅니다. 다른 사람의 사랑을 얻으려고 노력하는 중일 수도 있습니다. 이런 상황에 대처할 수 있도록 준비하십시오.
아이들을 향한 예수님의 사랑은 무조건적이고 영원하다는 점을 강조하십시오. 예수님의 사랑은 단순한 감정이 아닙니다. 예수님은 우리를 죄에서 구하기 위해 십자가에서 죽으심으로써 우리를 향한 하나님의 사랑을 증명하셨습니다. 하나님이 우리를 먼저 사랑하셨기 때문에 우리도 다른 사람을 사랑할 수 있습니다.

주 제

요한은 그리스도인이 서로 사랑하는 모습을 통해 사람들에게 하나님의 사랑을 보여 줄 수 있다고 말했어요.

가스펠 링크

예수님은 우리를 죄에서 구하기 위해 십자가에서 죽으심으로 우리를 향한 하나님의 사랑을 보여 주셨어요.

서로 사랑하라 요일 3:10~18

예수님의 제자였던 사도 요한은 예수님과 아주 가까웠어요. 예수님의 삶과 가르침을 직접 경험했지요. 예수님이 하늘로 올라가신 지 50년이 지났어요. 요한도 이제 노인이 되었어요. 그는 예수님이 어떤 분이신지 잘 알고 있었어요. 그래서 예수님이 하나님의 아들이시라는 사실을 성도들이 이해할 수 있도록 편지를 썼어요.

요한은 하나님은 사랑이시라는 것을 보여 주었어요. 하나님을 진심으로 사랑하는 그리스도인이라면 서로 사랑할 것이며, 그 사랑은 그리스도인의 말과 행동을 통해 나타난다고 말했지요. 요한은 하나님의 자녀는 하나님의 자녀가 아닌 사람과 다른 방식으로 살아간다고 말했어요. 그리스도인은 옳은 일을 하고 서로 사랑해요. 이것은 새로운 가르침이 아니에요. 예수님도 우리에게 서로 사랑하라고 말씀하셨어요. 요한은 사람들이 우리가 서로 사랑하는 모습을 보고 우리가 그리스도인인 것을 알게 될 것이라고 말했어요.

요한은 가인과 아벨 이야기를 들려주었어요. 가인은 왜 아벨을 죽였나요? 자신은 악하게 행동했고, 동생은 의롭게 행동했기 때문이에요. 가인은 아벨을 미워했어요. 요한은 다른 사람을 사랑하지 않는 사람은 하나님 앞에서 죽은 자와 같다고 말했어요. 하나님은 모든 그리스도인을 죽음에서 자유롭게 하셨어요. 하나님이 우리를 사랑하시고 생명을 주셨기 때문에 우리는 서로 사랑할 수 있어요.

우리는 사랑이 무엇인지 알 수 있어요. 예수님이 우리에게 사랑을 보여 주셨기 때문이에요. 예수님은 우리를 위해 자기 생명을 내어 주셨어요. 예수님의 능력으로 말미암아 우리도 서로 사랑할 수 있고 또 사랑해야 해요. 다른 형제에게 필요한 것을 가지고 있다면 나누어 줄 수 있어야 해요. 다른 사람을 도울 수 있을 만큼 충분히 가지고 있으면서도 모른 척하고 돕지 않는다면, 그가 정말 하나님의 사랑을 아는 사람일까요?

요한은 우리가 말로만 사랑하는 사람이 되어서는 안 된다고 말했어요. 행함과 진실함으로 사랑해야 해요.

●● 가스펠 링크

요한은 사랑을 보여 주는 것이 얼마나 중요한지에 관해 편지를 썼어요. 사랑은 감정이나 말에서 그치지 않아요. 사랑은 행동이에요. 예수님은 우리를 죄에서 구하기 위해 십자가에서 죽으심으로 우리를 향한 하나님의 사랑을 보여 주셨어요.

가스펠 준비
(10~20분)

환영

도착하는 아이들을 반갑게 맞이하고 헌금, 출석, QT 등을 확인하며 격려한다. 새 친구가 있다면 소개한다. 편안한 분위기에서 안부를 물으며 오늘의 말씀과 관련된 화제로 이야기를 나눈다. 아이들과 자신을 사랑해 주는 사람들에 관해 이야기를 나눈다. 그들이 자신을 사랑한다는 것을 어떻게 아는지 물어본다. 자발적으로 대화에 참여하도록 이끈다.

예) "여러분을 사랑해 주는 사람이 있나요?", "여러분을 사랑한다는 것을 어떻게 알 수 있나요?", "여러분은 사랑하는 사람을 어떻게 대하나요?" 등.

— 우리는 사랑을 어떻게 표현하나요? 여러분의 부모님은 여러분에게 어떻게 사랑을 표현하시나요? 오늘 성경 이야기에서는 왜 사랑을 표현해야 하는지, 어떻게 표현해야 하는지를 알아볼 거예요.

마음 열기

누구일까? *

준비물 **색인 카드, 사인펜**

① 색인 카드에 다양한 직업 종류를 각각 써 둔다.

예) 제빵사, 축구 선수, 발레리나, 정원사, 카레이서 등.

② 아이 중 한 명에게 카드를 한 장 선택하게 한다.

③ 카드에 적힌 직업을 말하지 말고 동작으로만 표현해 보라고 한다.

④ 가장 먼저 답을 맞히는 아이가 새로운 카드를 뽑고 동작으로 표현하게 한다.

— 어떤 직업은 맞히기가 어려웠지요? 만약 그리스도인을 몸으로 표현한다면 어떤 동작을 할 수 있을까요? 아이들의 대답을 기다린다. 오늘 성경 이야기는 우리가 그리스도인이라는 것을 다른 사람들이 어떻게 알 수 있을까에 관한 이야기예요.

사랑이란? *

준비물 **포스트잇, 펜, 국어사전**

① 포스트잇에 단어들을 각각 적는다. (사랑, 사다리, 언어, 웃다, 듣다, 보다, 여행 가방, 사랑)

② 아이 중 한 명에게 포스트잇을 한 장 주고, 포스트잇에 적힌 단어를 사전에서 찾아 단어의 정의를 크게 읽으라고 한다.

③ 나머지 아이들에게 무슨 단어인지 맞혀 보라고 한다.

④ 정답을 맞힌 아이에게 새로운 포스트잇을 주고 단어의 정의를 찾아 읽게 한다.

⑤ 마지막에 찾을 단어는 '사랑'으로 한다.

— 오늘 성경 이야기는 사랑에 관한 내용이에요. 성경은 우리를 위해 자기 목숨을 내어 주신 예수님을 통해 사랑을 알 수 있다고 말해요. 사랑이 무엇인지 더 알아볼 준비가 되었나요?

교사를 위한 기록장 이 과를 준비하면서 깨닫게 된 묵상을 정리해 보세요.

· 하나님이나 나에 대해 새롭게 알게 된 것은?

· 기억해야 할 하나님의 말씀은?

· 아이들에게 전하고 싶은 메시지는?

가스펠 설교
(15~30분)

들어가기

준비물 **모자, 배낭, 선글라스 또는 고글, 성경**

모자를 쓰고, 배낭을 메고, 선글라스를 쓰고 들어온다. 배낭을 바닥에 내려놓고, 선글라스를 벗는다.

안녕하세요! 히말라야 베이스캠프에 다시 오신 것을 환영합니다! 저는 이곳이 정말 좋아요. 경치도 환상적이고, 등산하면서 좋은 사람도 정말 많이 만났거든요. 제 배낭에서 굴러떨어진 침낭을 다시 접는 것을 도와준 부부도 있었고, 물이 다 떨어졌을 때 자기 물을 나누어 준 할아버지도 있었고, 정말 반갑게 인사를 해 준 어린 소녀도 있었지요. 덕분에 정말 행복했어요.

이 산의 신선한 공기가 사람들을 기분 좋게 만드는 것 같아요. 다들 얼마나 친절하고 사랑이 넘치는지 정말 기분이 좋더라고요. 하나님은 우리가 서로를 이렇게 대하길 바라시는 것이 아닐까 하고 생각했어요.

오늘 여러분에게 들려주고 싶은 성경 이야기가 있어요. 서로 사랑하는 일에 관한 이야기예요. 아마도 하나님과 우리 자신에 관해 많은 것을 가르쳐 줄 것 같아요. 시작해 볼까요?

연대표

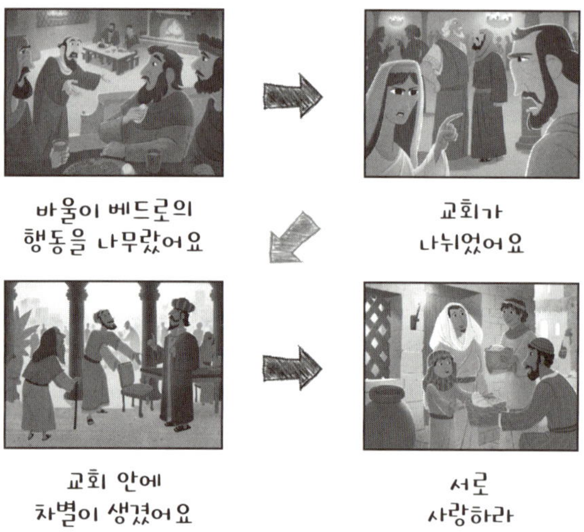

그동안 하나님의 백성에게 보내는 여러 편지를 살펴보았어요. 신약성경 처음에는 마태, 마가, 누가, 요한이 쓴 4개의 복음서가 있고, 그 뒤에는 사도행전이 있어요. 그다음 나오는 21권의 책이 모두 편지예요. 마지막 요한계시록만 빼고요. 바울이 가장 많은 편지를 썼고, 요한이 3개 그리고 베드로, 야고보, 유다가 각각 한 개씩 썼지요.

이 편지들은 특정한 성도들을 대상으로 쓰였어요. 오늘 성경 이야기는 요한일서에 나와요. 요한이 예수님을 따르는 그리스도인들을 돕기 위해 쓴 편지예요. 요한이 그들에게 당부한 한 가지는 바로 서로 사랑하라는 것이었어요.

성경의 초점

1단원 '성경의 초점' 질문은 **"하나님은 왜 우리가 순종하기를 바라시나요?"**예요. 정말 중요한 질문이에요. 우리는 하나님께 순종하는 것으로 구원받는 것이 아니라는 말을 계속해서 들었어요. 하나님은 우리가 예수님을 믿고 의지할 때 우리를 용서하시고 구원하세요. 우리의 노력으로 구원을 얻는 것이 아니라는 말이지요. 하지만 성경을 보면 하나님은 여전히 우리에게 많은 명령을 내리세요. **하나님은 왜 우리가 순종하기를 바라시나요? 하나님의 사랑에 대한 우리의 응답이 순종이기 때문이에요.** 하나님께 순종하기 때문에 하나님이 우리를 사랑하시는 것이 아니에요. 하나님이 우리를 사랑하시기 때문에 하나님께 순종하는 거예요!

성경 이야기

DVD 요한일서 3장을 펴고, 설교 영상(지도자용 팩)을 보여 주거나 이야기 성경을 들려준다. 아이들에게 손으로 하트 모양을 만들어 보라고 한다. 성경 이야기에서 '사랑'이라는 단어가 나오면 '손 하트'를 만들라고 한다. 또는 성경 이야기를 하는 동안 서거나 앉거나 예배실을 돌아다니며 아이들의 주의를 끈다.

이 성경 이야기는 요한일서에 나와요. 요한일서는 예수님의 제자였던 요한이 쓴 편지예요. 요한은 요한복음도 썼지요. 예수님이 죽으시고 부활하셔서 하늘로 올라가신 지 50년이 넘게 지났어요. 요한은 예루살렘에서 에베소로 가서 그곳 교회의 지도자가 되었어요.

그는 그리스도인들에게 예수님을 따르는 삶이 어떤 것인지 가르쳐 주기 위해 이 편지를 썼어요. **요한은 그리스도인이 서로 사랑하는 모습을 통해 사람들에게 하나님의 사랑을 보**

여 줄 수 있다고 말했어요.

요한이 사랑에 관해 이야기한 것은 하나님이 사랑이시기 때문이에요(요일 4:8 참조). 사랑은 하나님에게서 나와요. 우리가 정말로 하나님을 사랑하면 또한 서로를 사랑하게 되어요. 다른 사람의 필요를 먼저 생각하고, 서로를 위해 자신의 생명을 기꺼이 내어 주게 되지요.

예수님의 사랑은 완전해요. 우리를 향한 예수님의 사랑은 변하지 않지요. 우리가 죄를 짓는다고 덜 사랑하시지도, 우리가 순종한다고 더 사랑하시지도 않아요. 예수님은 우리를 죄에서 구하기 위해 십자가에서 죽으심으로 우리를 향한 사랑을 증명해 보이셨어요.

사람들은 우리가 다른 사람을 사랑하는 모습을 볼 때 우리가 하나님의 자녀인 것을 알게 될 거예요. 이런 사랑은 오직 하나님에게서만 나올 수 있기 때문이지요. 예수님이 우리를 먼저 사랑하셨기 때문에 우리도 서로 사랑할 수 있어요.

하나님은 우리에게 서로 사랑하라고 명령하셨어요. 성경은 우리가 사랑한다고 말하는 것만으로는 부족하다고 말해요. 행동으로 그리고 하나님에 관한 진리를 전하는 것으로 사람들을 사랑해야 해요.

가스펠 링크

요한은 사랑을 보여 주는 것이 얼마나 중요한지에 관해 편지를 썼어요. 사랑은 감정이나 말에서 그치지 않아요. 사랑은 행동이에요. 예수님은 우리를 죄에서 구하기 위해 십자가에서 죽으심으로 우리를 향한 하나님의 사랑을 보여 주셨어요. 하나님은 사랑이시기 때문에 우리도 다른 사람을 사랑할 수 있어요. 다른 사람을 사랑하라는 예수님의 명령에 순종할 수 있는 것도 하나님의 사랑 때문이에요. **하나님은 왜 우리가 순종하기를 바라시나요? 하나님의 사랑에 대한 우리의 응답이 순종이기 때문이에요.**

복음 초청

성경과 21쪽 복음 초청 가이드를 이용해서 아이들에게 그리스도인이 되는 법을 설명해 준다. 따로 상담해 줄 사람을 정해 주고 궁금한 점이 있으면 물어보도록 격려한다.

이 시간 예수님을 마음에 모시고 싶은 친구는 함께 기도해요.

기도

우리를 사랑하셔서 아들이신 예수님을 세상에 보내 우리에게 구원을 주신 하나님을 찬양합니다. 하나님의 말씀을 통해 이 진리를 알게 해 주셔서 감사합니다. 요한은 사람들이 우리가 서로 사랑하는 모습을 보고 우리가 그리스도인인 것을 알게 될 것이라고 말한 것처럼 우리도 하나님의 말씀에 순종하며 서로를 사랑할 수 있도록 도와 주세요. 다른 사람들이 우리가 서로 사랑하는 모습을 보고 하나님의 큰 사랑을 알게 해 주세요. 예수님의 이름으로 기도합니다. 아멘.

적용

TIP 설교 도입이나 적용으로 활용하거나 영상을 본 뒤 소그룹으로 나누어 풍성한 대화를 이어 갈 수 있습니다.

행동을 보면 그 사람이 어떤 사람인지 알 수 있어요. 오늘의 영상을 보며 함께 생각해 보아요.

DVD 적용 예화 영상(지도자용 팩)을 보여 준 후, 다음의 질문으로 이야기를 나눈다.

1. 넬은 누가 누구인지 어떻게 알았나요?
2. 요한은 우리가 그리스도인이라는 사실을 다른 사람들이 어떻게 알 수 있다고 했나요?
3. 우리가 다른 사람에게 사랑을 표현하는 방법은 어떤 것들이 있을까요?

하나님은 예수님이 우리를 사랑하셨듯이 다른 사람을 사랑하라고 말씀하세요. **요한은 그리스도인이 서로 사랑하는 모습을 통해 사람들에게 하나님의 사랑을 보여 줄 수 있다고 말했어요.** 성도들이 서로 사랑할 때 세상은 예수님이 죄인들을 향해 어떤 사랑을 베푸시는지 알게 될 거예요.

가스펠 **소그룹**
(10~20분)

나침반

말씀 드럼

준비물 **1단원 암송**(110쪽), **마커, 종이 접시, 책상, 일회용 젓가락**

① 접시에 1단원 암송 구절을 어절 단위로 나누어 각각 써 둔다.

② 접시를 섞은 후 책상 위에 올려 놓는다.

③ 아이들과 함께 1단원 암송 구절을 큰 소리로 읽는다.

④ 아이 중 한 명에게 일회용 젓가락을 주고, 성경 구절 순서대로 접시를 치라고 한다.

⑤ 접시를 칠 때마다 아이들이 접시에 적힌 어절을 함께 읽으며 말씀을 외우게 한다.

— 다른 사람을 사랑하라는 하나님의 말씀에 순종하기가 늘 쉽지만은 않아요. 하지만 우리는 우리 힘으로 순종하는 것이 아니에요. 성경이 말하듯이 우리가 예수님을 믿고 의지하면 예수님은 우리 안에 거하세요. 하나님은 그리스도인에게 성령님을 주세요. 성령님은 우리가 서로 사랑할 수 있도록 힘을 주시지요.

보물 지도

말씀 딩동댕

준비물 **성경**

① 아이들을 2팀으로 나누고 성경을 나누어 준다.

② 각 팀에 돌아가며 하나씩 질문하고 답하게 한다. 참고할 성경 구절이 있는 문제는 해당 구절을 알려 준다.

③ 각 팀이 말한 답이 정답인지 아닌지 상대 팀이 말하게 한다.

④ 정답을 맞히면 1점을 주고, 상대 팀의 정답 여부를 맞힌 경우에도 1점을 준다.

1 요한일서를 쓴 사람은 누구인가요? 요한

2 요한일서는 구약성경과 신약성경 중 어디에 있나요? 신약성경

3 요한일서는 신약성경의 어느 부분에 해당하나요? 서신서

4 요한이 그리스도인들에게 전한 말씀 중 중요한 것은 무엇인가요? 서로 사랑해야 한다 (요일 3:11)

5 세상이 우리를 "어떻게" 해도 이상히 여기지 말아야 하나요? 우리를 미워해도 이상히 여기지 말아야 한다 (요일 3:13)

6 사랑이 무엇인지 어떻게 알 수 있나요? 예수님이 우리를 위해 목숨을 버리신 것을 보고 사랑이 무엇인지 알 수 있다 (요일 3:16)

— 요한은 하나님이 사랑이시라고 말했어요. 하나님은 우리를 죄에서 구하려고 예수님을 보내심으로 자신의 사랑을 보여 주셨어요. **요한은 그리스도인이 서로 사랑하는 모습을 통해 사람들에게 하나님의 사랑을 보여 줄 수 있다고 말했어요.** 하나님이 우리를 먼저 사랑하셨기 때문에 우리도 다른 사람을 사랑할 수 있어요.

탐험하기

요한이 말했어요

준비물 **학생용 교재 16쪽, 연필, 성경**

요한일서 3장을 읽고, 질문에 알맞은 답을 찾아 선으로 연결해 보라고 한다.

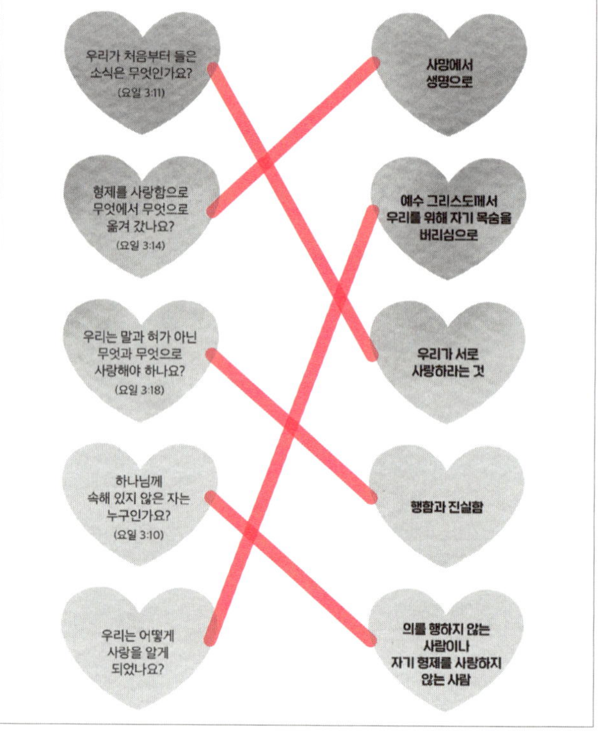

— 요한은 사랑을 보여 주는 것이 얼마나 중요한지에 관해 편지를 썼어요. 사랑은 감정이나 말에서 그치지 않아요. 사랑은 행동이에요. 예수님은 우리를 죄에서 구하기 위해 십자가에서 죽으심으로 우리를 향한 하나님의 사랑을 보여 주셨어요. 그 사랑을 기억하며 그리스도 안에서 형제자매를 사랑해야 해요.

색깔대로

준비물 학생용 교재 17쪽, 연필

나열된 글자를 색깔별로 알맞게 조합해 문장을 완성해 보라고 한다.

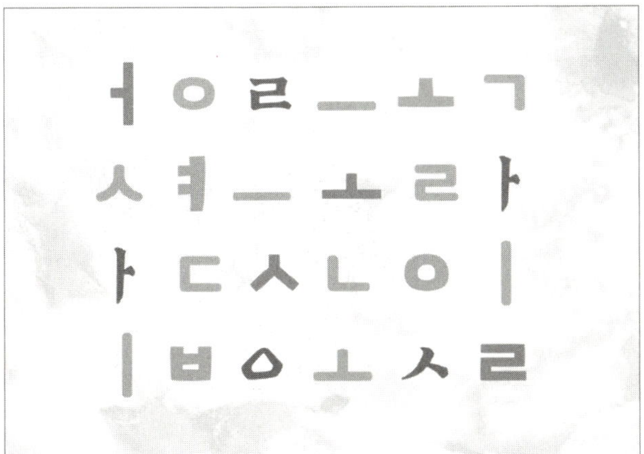

요한은 [그][리][스][도][인]이 [서][로] 사랑하는 모습을 통해 사람들에게 하나님의 [사][랑]을 [보][여] 줄 수 있다고 말했어요.

— 우리는 종종 사랑할 수 없는 사람을 만나고 상처를 받고 마음을 닫아요. 하지만 사랑하기를 포기하면 안 돼요. 사랑할 힘을 달라고 하나님께 구하며 끝까지 사랑하는 우리가 되어요!

사랑의 생수 *

준비물 생수, 라벨지, 마커, 스티커

① 라벨지에 요한복음 3장 16절을 인원수대로 출력해 둔다.

② 아이들에게 준비물을 나누어 주고, 라벨지를 예쁘게 꾸민 후 생수에 붙이라고 한다.

③ 아이들과 밖으로 나가 야외에서 일하는 사람들에게 생수를 나누어 준다.

④ 생수를 나누어 주는 이유는 하나님의 사랑을 행동으로 보여 주기 위한 것이라고 말해 준다.

⑤ 생수를 나누어 줄 때 기분이 어땠는지 이야기를 나눈다.

— 요한은 그리스도인들에게 사랑한다고 말만 하지 말고 행동으로 사랑을 표현해야 한다고 말했어요. 예수님은 사랑이 무엇인지 몸소 보여 주셨어요. 우리를 위해 자기 목숨을 버리셨지요. 우리도 다른 사람을 사랑한다면 자신의 필요보다 다른 사람의 필요를 먼저 생각해야 해요. 그렇게 할 때 서로 사랑하라는 하나님의 명령에 순종할 수 있어요. **하나님은 왜 우리가 순종하기를 바라시나요? 하나님의 사랑에 대한 우리의 응답이 순종이기 때문이에요.** 하나님은 모든 사람이 하나님을 알고 사랑하기를 바라세요. 우리가 서로 사랑할 때 사람들은 예수님 안에서 발견할 수 있는 큰 사랑에 눈을 돌리게 될 거예요.

보물 상자

나만의 기록장

준비물 학생용 교재 18쪽, 연필

아이들에게 다음 질문에 대해 생각하고 글로 써 보라고 한다.

이 성경 이야기가 말하고 있는…

· 하나님이나 복음에 관한 사실은?

· 나에 관한 사실은?

· 순종해야 할 하나님의 말씀은? 그 말씀은 어떻게 하나님께 영광이 되고, 나에게는 유익이 될까요?

· 기억해야 할 하나님의 약속은? 그 약속은 내가 하나님을 믿고 사랑하는 데 어떤 도움이 되나요?

메시지 카드

이번 주 메시지 카드로 부모님과 함께 오늘 배운 성경 이야기를 나누어 보라고 한다.

기도

하나님, 이기적인 마음으로, 또는 상처받는 것이 두려워 사랑하기를 멈추고 마음을 숨길 때가 많습니다. 예수님은 우리를 위해 생명을 주기까지 사랑하셨는데 말이에요. 이제 하나님의 사랑에 순종으로 응답하며, 서로를 더욱 사랑하고 섬기는 우리가 되게 해 주세요. 끝없이 깊고 넓은 주님의 사랑과 생명을 주시는 복음이 우리를 통해 세상에 흘러 나가도록 우리를 인도해 주세요. 예수님의 이름으로 기도합니다. 아멘.

5

교회 지도자들에게 권면했어요

딤전 4:11~16; 딤후 4:1~8; 딛 2:11~14

단원 암송

내가 그리스도와 함께 십자가에 못 박혔나니
그런즉 이제는 내가 사는 것이 아니요 오직
내 안에 그리스도께서 사시는 것이라 이제
내가 육체 가운데 사는 것은 나를 사랑하사
나를 위하여 자기 자신을 버리신 하나님의
아들을 믿는 믿음 안에서 사는 것이라(갈 2:20).

성경의 초점

하나님은 왜 우리가 순종하기를 바라시나요?
하나님의 사랑에 대한 우리의 응답이
순종이기 때문이에요.

본문 속으로

초대교회가 예루살렘 밖으로 퍼져 나가면서 여러 도시에 새로운 교회들이 생겨났습니다. 각 교회에는 교회가 성장하고 복음에 충실할 수 있도록 도울 경건한 지도자가 필요했습니다. 이런 필요를 알았던 바울은 교회 지도자들에게 편지를 썼습니다. 디모데서와 디도서가 이런 편지에 속합니다.

디모데는 바울의 제자였습니다. 바울과 함께 여행하며 그를 도왔습니다. 이제 디모데는 에베소 교회의 지도자가 되었습니다. 디도는 이방인 성도로 그도 바울과 함께 여행을 다녔습니다. 지금은 크레타(그레데) 섬에 남아 더 많은 교회 지도자를 세우는 일을 돕고 있었습니다. 바울은 디모데와 디도에게 조언하고 모든 교회 지도자에게 지침을 주기 위해 편지를 썼습니다.

바울은 디모데와 디도에게 지도자가 되는 것은 힘든 일이라고 말했습니다. 하지만 그들을 지도자로 세운 분은 하나님이십니다. 지도자의 역할은 하나님을 섬기는 것입니다. 바울은 그들이 인내하며 그리스도를 기쁘시게 하는 삶을 살게 되기를 바랐습니다.

●● 티칭 포인트

아이들을 가르칠 때, 하나님이 선물로 주신 교회 지도자들의 소중함을 깨달을 수 있도록 해 주십시오. 아이들이 교회 지도자들을 사랑하고 존경할 수 있도록 도와주십시오. 아이들이 부서 지도자들을 격려할 방법을 찾아보십시오. 더불어 하나님은 아이들 안에서 일하고 계시며, 머지않은 미래에 그들도 교회의 지도자가 될 수 있다는 점을 강조하십시오. 교회 지도자가 되는 일은 사람들이 복음을 바라볼 수 있도록 돕는 놀라운 특권입니다.

마지막으로 교회 지도자들은 그들의 뜻대로 교회를 이끄는 것이 아니라는 사실을 아이들에게 알려 주십시오. 교회 지도자들은 섬김의 본을 보이신 예수님의 모습을 따라야 합니다. 예수님은 우리 죄를 용서하기 위해 자신의 생명을 내어 주셨습니다.

주 제

바울은 교회 지도자들에게 하나님의 말씀을 가르치라고 권면했어요.

가스펠 링크

교회 지도자들은 우리를 위해 죽으신 예수님의 본을 따라 교회를 섬겨요. 그들은 성도들이 진리가 무엇인지 알 수 있도록 도와주어요.

교회 지도자들에게 권면했어요 딤전 4:11~16; 딤후 4:1~8; 딛 2:11~14

예수님은 하늘로 올라가시기 전에 제자들에게 성령님이 오셔서 예루살렘과 온 유대와 사마리아와 땅끝까지 가서 복음을 전할 능력을 주실 것이라고 말씀하셨어요. 예수님의 말씀은 그대로 이루어졌어요! 복음을 듣고 예수님을 믿는 사람들이 늘어났어요. 초대교회는 점점 성장했고 복음은 다른 도시로 퍼져 나갔어요. 성도들은 함께 모여 교회를 이루었어요. 교회 지도자들은 그들에게 하나님이 누구신지 그리고 그리스도인은 어떻게 살아야 하는지에 관해 가르쳤어요.

바울은 교회 지도자 몇 사람에게 편지를 썼어요. 그 중에는 디모데와 디도도 있었어요. 디모데는 바울의 제자였어요. 바울과 함께 여행하며 바울을 도왔지요. 이제 디모데는 에베소 교회의 지도자였어요.

바울은 디모데에게 아무도 그가 어리다는 이유로 얕보지 못하게 하라고 말했어요. 그리고 "그리스도인으로서 어떻게 말하고 행동해야 하는지 모범을 보이라"라고 했지요. 사람들에게 어떻게 살고, 어떻게 사랑하며, 어떻게 하나님을 믿는지 보여 주라고 했어요.

바울은 디모데에게 성경을 열심히 읽고 사람들을 잘 가르치라고 말했어요. 오래 참되, 사람들이 잘못을 저지를 때에는 바로잡아 주라고 했어요. 성도들에게 무엇이 옳은지 가르쳐 용기를 북돋워 주라고 말했지요. 언제나 하나님의 말씀을 가르치고 복음을 전할 준비가 되어 있어야 한다고 당부했어요.

교회 지도자가 되는 것은 결코 쉬운 일이 아니에요. 바울은 디모데를 지도자로 세운 분은 바로 하나님이시라고 말했어요. 그리고 "주를 위해 고난을 겪는 것을 두려워하지 말라"라고 썼어요.

디도는 이방인 성도였지만 교회 지도자가 되었어요. 그도 바울의 제자였어요. 바울과 함께 여행하던 디도는 크레타섬에 남아 교회 지도자들을 세우는 일을 도왔어요. 바울은 디도에게 보내는 편지에서 왜 그리스도인들이 하나님을 기쁘시게 하는 모습으로 살아야 하는지에 관해 설명했어요.

하나님은 죄인들에게 은혜를 베푸세요. 아무런 자격이 없는 우리에게 죄에서 구원받을 길을 열어 주셨지요. 이 때문에 우리는 옳은 일을 하고 싶어 해요. 하나님이 기뻐하시는 삶을 살고 싶어 하지요. 예수님은 우리를 죄와 죽음에서 구원하기 위해 십자가에서 죽으셨어요. 우리를 향한 예수님의 사랑을 생각하면 선한 일을 하고 싶어져요. 우리는 언젠가 예수님이 다시 오실 것을 알아요.

가스펠 링크

바울은 디모데와 디도에게 조언하고 교회 지도자들에게 성도들을 이끌 방법을 알려 주기 위해 편지를 썼어요. 교회 지도자들은 우리를 위해 죽으신 예수님의 본을 따라 교회를 섬겨요. 그들은 성도들이 진리가 무엇인지 알 수 있도록 도와주어요.

가스펠 준비
(10~20분)

환영

도착하는 아이들을 반갑게 맞이하고 헌금, 출석, QT 등을 확인하며 격려한다. 새 친구가 있다면 소개한다. 편안한 분위기에서 안부를 물으며 오늘의 말씀과 관련된 화제로 이야기를 나눈다. 아이들에게 자신이 받은 가장 좋은 조언은 무엇이었는지, 누가 그 조언을 해 주었는지 물어본다. 자발적으로 대화에 참여하도록 이끈다.

예) "여러분이 들었던 조언 중 가장 좋은 것은 무엇이었나요?", "누가 그 조언을 해 주었나요?", "왜 그 조언이 최고라고 생각하나요?" 등.

— 우리는 혼자만의 생각으로는 세상을 살아갈 수 없어요. 알게 모르게 누군가의 도움을 받지요. 교회 지도자들도 언제나 모든 것을 다 알지는 못해요. 하지만 하나님은 곁에서 서로 권면과 조언을 하며 도울 동역자를 항상 주신답니다. 오늘 이야기도 지도자들을 돕기 위해 보낸 편지에 관한 이야기예요.

마음 열기

단어 전하기 *

준비물 **색인 카드, 사인펜**

① 색인 카드에 '예수님', '교회', '바울', '성경'이라고 각각 적는다.

② 아이들을 한 줄로 앉힌다.

③ 인도자가 맨 뒤에 앉은 아이에게 카드를 한 장 보여 주고, 앞에 앉은 아이의 등에 손가락으로 단어를 쓰라고 한다.

④ 앞에 앉은 사람 등에 글자를 쓰며 단어를 전달해, 맨 앞에 앉은 아이가 단어를 맞히게 한다.

— 친구가 등에 글씨를 쓸 때 어땠나요? 간지러웠나요? 쉽게 맞힐 수 있었나요? 놀이에 나온 단어들은 모두 오늘 성경 이야기와 관련이 있어요. '예수님', '교회', '바울', '성경'이라는 단어들을 통해 어떤 성경 이야기를 배우게 될까요?

교회 지도자 인터뷰 *

① 교회 지도자(목사, 전도사, 장로 등) 중 한 명을 초대한다.

② 지도자에게 자기소개를 부탁한 후, 소개가 끝나면 아이들에게 궁금한 것들을 질문하게 한다.

예) · 이 교회에 얼마나 오래 계셨나요?

· 어떻게 교회의 지도자가 되셨나요?

· 교회 지도자 역할을 하면서 가장 힘든 점은 무엇인가요? 가장 좋은 점은 무엇인가요?

— 교회에는 많은 그리스도인이 있어요. 하나님은 그중에서 몇몇 사람을 목사님이나 장로님과 같은 지도자로 세우셨어요. 교회 지도자들은 교회를 섬기는 일로 하나님을 섬겨요. 성경에는 바울이 초대교회 지도자들에게 보낸 편지가 있어요. 과연 바울은 지도자들에게 어떤 당부를 했을지 함께 알아보아요.

교사를 위한 기록장 이 과를 준비하면서 깨닫게 된 묵상을 정리해 보세요.

· 하나님이나 나에 대해 새롭게 알게 된 것은?

· 기억해야 할 하나님의 말씀은?

· 아이들에게 전하고 싶은 메시지는?

가스펠 **설교**
(15~30분)

들어가기

준비물 **모자, 배낭, 선글라스 또는 고글, 성경**

모자를 쓰고, 배낭을 메고, 선글라스를 쓰고 들어온다. 배낭을 바닥에 내려놓고, 선글라스를 벗는다.

안녕하세요! 다시 만나서 정말 반가워요! 믿기지 않지만, 이번 주가 베이스캠프에서 보내는 마지막 주예요. 그동안 초대교회에 관해서 그리고 말씀을 통해 그리스도인에게 주시는 하나님의 지침에 관해 많이 배웠어요. 배낭에서 성경을 꺼낸다. 오늘 성경 이야기를 들을 준비가 되었나요? 이 이야기는 하나님의 말씀에 나와 있는 이야기예요. 성경에 나오는 모든 이야기는 다 진짜지요. 그래서 저는 성경이 좋아요. 성경은 정말 오래된 책이지만 오늘날에도 수백 년 전과 마찬가지로 많은 가르침을 주거든요. 성경은 이 세상 어떤 책보다 더 중요한 책이에요. 저는 여러분이 꼭 시간을 내어서 성경을 읽으면 좋겠어요. 이제 시작해 볼까요?

연대표

바울이 베드로의 행동을 나무랐어요

교회가 나뉘었어요

교회 안에 차별이 생겼어요

서로 사랑하라

교회 지도자들에게 권면했어요

우리는 하나님의 자녀예요

그동안 우리가 배운 이야기들은 바울이 여러 교회에 보낸 편지와 관련이 있어요. 초대교회는 성장하는 동안 여러 문제에 부딪혔어요. 죄인들이 한곳에 모였으니 문제가 생기는 것이 이상한 일은 아니지요! 그래서 바울은 편지를 써서 초대교회 성도들에게 하나님과 복음에 관한 진실을 다시 한번 일깨워 주었어요. 오늘은 바울이 교회 지도자들에게 보낸 편지를 살펴볼 거예요. 함께 볼까요?

성경의 초점

그동안 우리가 살펴본 '성경의 초점' 질문은 **"하나님은 왜 우리가 순종하기를 바라시나요?"**였어요. 우리는 하나님의 사랑을 얻으려고 순종하는 것이 아니에요. 하나님은 이미 예수님 안에서 우리를 받아들이셨어요. 순종은 하나님의 사랑에 대한 우리의 응답이에요.

하나님께 순종하는 것은 우리가 하나님을 믿고 의지한다는 표시이기도 해요. 하나님은 우리를 만드셨기 때문에 무엇이 우리에게 최선인지를 잘 아세요. '성경의 초점'을 함께 말해 보아요. **하나님은 왜 우리가 순종하기를 바라시나요? 하나님의 사랑에 대한 우리의 응답이 순종이기 때문이에요.**

성경 이야기

DVD 디모데전서 4장, 디모데후서 4장, 디도서 2장을 펴고, 설교 영상(지도자용 팩)을 보여 주거나 이야기 성경을 들려준다. 화이트보드에 '교회 지도자들'(지도자용 팩)을 붙여 놓고 인물의 이름이 나올 때마다 해당 그림을 가리킨다. 또는 각 인물 판을 만들어 이름이 나올 때마다 판을 들어도 좋다.

처음 초대교회가 생기고 성장하던 시기에는 전화기도 컴퓨터도 없었어요. 친구들에게 소식을 전하고 싶다고 이메일이나 문자 메시지를 보낼 수 없었지요. 소식을 전하는 방법은 직접 가서 만나거나 손으로 쓴 편지를 보내는 수밖에 없었어요. 그래서 바울은 편지를 썼어요.

오늘 성경 이야기는 바울이 그의 동료이자 제자인 디모데와 디도에게 보낸 편지에 나오는 내용이에요. 디모데와 디도는 교회 지도자들이었어요. 바울은 지도자인 그들이 하나님의 백성을 잘 이끌기를 바랐어요. 만약 디모데나 디도가 성경에서 벗어난다면 다른 사람들도 모두 성경에서 벗어나게 될 것이니까요. 그건 옳지 않지요. 그래서 **바울은 교회 지도자**

들에게 하나님의 말씀을 가르치라고 권면했어요.

바울의 제자였던 디모데는 에베소 교회의 젊은 지도자가 되었어요. 어쩌면 디모데의 나이가 어리고 지도자가 된 지 얼마 되지 않았다는 이유로 그를 존경하지 않는 사람이 있었을지도 몰라요. 바울은 디모데에게 다른 사람이 그를 얕보지 못하게 하라고 말했어요. 비록 어리지만 디모데는 사람들에게 어떻게 살아야 하고, 어떻게 사랑해야 하고, 어떻게 하나님을 믿고 의지해야 하는지 보여 줄 수 있으니까요.

바울은 교회 지도자가 되는 것이 쉬운 일이 아니라는 것을 알았어요. 하지만 그것은 하나님이 주신 소명이에요. 바울은 디모데에게 주님을 위해 고난받는 것을 두려워하지 말라고 말했어요.

바울은 디도에게도 편지를 썼어요. 디도는 크레타(그레데)섬에 머무르고 있었지요. 바울은 디도에게 그리스도인은 왜 하나님이 기뻐하시는 모습으로 살아야 하는지를 설명했어요. **하나님은 왜 우리가 순종하기를 바라시나요? 하나님의 사랑에 대한 우리의 응답이 순종이기 때문이에요.**

가스펠 링크

바울은 디모데와 디도에게 조언하고 교회 지도자들에게 성도들을 이끌 방법을 알려 주기 위해 편지를 썼어요. 교회 지도자들은 우리를 위해 십자가에서 죽으신 예수님의 본을 따라 교회를 섬겨요. 그들은 성도들이 진리가 무엇인지 알 수 있도록 도와주어요.

찬양

주의 교회

차별하지 않는 것 주께 감사하는 것
편 가르지 않는 것 서로를 감싸 주는 것
이것이 주의 교회

차별하지 않는 것 범사에 감사하는 것
이기심을 버리고 서로를 사랑하는 것
이것이 주의 자녀

순종해 주 말씀 따라 살기로
순종해 끝까지 사랑하기로
순종해 주님이 사랑하시듯
아껴 주며 서로 이해하는 우린 주의 자녀.

복음 초청

성경과 21쪽 복음 초청 가이드를 이용해서 아이들에게 그리스도인이 되는 법을 설명해 준다. 따로 상담해 줄 사람을 정해 주고 궁금한 점이 있으면 물어보도록 격려한다.

이 시간 예수님을 마음에 모시고 싶은 친구는 함께 기도해요.

기도

하나님, 주님이 주신 제자 삼는 사명을 이루어 나갈 수 있도록 우리에게 교회 지도자들을 보내 주셔서 감사합니다. 지도자들이 가르치는 하나님의 말씀을 듣고 진리를 깨닫게 해 주세요. 그리고 진리대로 살아갈 수 있도록 도와주세요. 예수님의 이름으로 기도합니다. 아멘.

적용

TIP 설교 도입이나 적용으로 활용하거나 영상을 본 뒤 소그룹으로 나누어 풍성한 대화를 이어 갈 수 있습니다.

여러분의 삶에서 지도자 역할을 하는 사람들은 누구인가요? 그들이 없었다면 여러분의 삶은 어떻게 달라졌을까요? 오늘의 영상을 보며 함께 생각해 보아요.

적용 예화 영상(지도자용 팩)을 보여 준 후, 다음의 질문으로 이야기를 나눈다.

1 각 장면에서 사라진 사람은 누구였나요?

2 우리 삶에서 지도자들은 얼마나 중요한가요?

3 우리 교회에서 지도자들은 얼마나 중요한가요?

바울은 교회 지도자들에게 하나님의 말씀을 가르치라고 권면했어요. 하나님은 하나님이 주신 교회 지도자들이 앞장서서 제자 삼는 임무를 수행하도록 우리가 그들을 위해 기도하고 돕기를 바라세요.

가스펠 소그룹
(10~20분)

나침반

째깍째깍 말씀 외우기

DVD 준비물 **1단원 암송**(110쪽 또는 지도자용 팩), **공, 스톱워치**

① 아이들과 함께 1단원 암송 구절을 큰 소리로 읽는다.

② 아이들을 둥그렇게 앉히고, 한 아이에게 공을 준다.

③ 인도자가 "시작!"이라고 외치면, 공을 가진 아이는 암송 구절의 첫 어절을 말한 뒤 공을 옆으로 전달해야 한다고 말해 준다.

④ 공을 전달받은 아이는 그다음 어절을 말한 뒤, 옆 사람에게 공을 전달하라고 한다.

⑤ 1분 안에 처음 시작한 아이에게 공이 도착해야 한다고 말해 준다.

TIP 암송 구절을 외우지 못한 아이들을 위해 1단원 암송을 복사하거나 출력해 잘 보이는 곳에 붙여 놓아도 좋다.

— 모두 정말 잘했어요! 이 성경 구절은 예수님이 우리에게 새로운 삶을 주신다고 말해요. 우리의 구원을 예수님에게 맡길 때 우리는 나만을 위해 하던 일들을 멈추고 다른 사람에게 예수님의 사랑을 나타내는 일을 하기 시작해요. 우리의 옛 삶의 방식은 모두 죽었어요. 이제 우리는 예수님과 예수님의 영광을 위해 살아요.

보물 지도

어떻게 살아야 하나요?

준비물 **성경, 색인 카드, 연필**

① 아이들을 3팀으로 나누고, 각 팀에 색인 카드를 한 장씩 나누어 준다.

② 팀별로 디모데전서 4장 11~16절, 디모데후서 4장 1~8절, 디도서 2장 11~14절을 각각 지정해 준다.

③ 성경 구절을 찾아, 성경에서 하라고 하거나 믿으라고 하는 것을 목록으로 작성해 보라고 한다.

④ 팀별로 나와 완성한 목록을 발표하게 한다.

⑤ 성경 구절별로 다음의 내용을 강조한다.

디모데전서 4장 11~16절

· 바울은 디모데에게 그가 어리다는 이유로 다른 사람들이 얕보지 못하게 하라고 말했어요. (딤전 4:12)

· 바울은 디모데에게 사람들에게 어떻게 살아야 하고, 어떻게 사랑해야 하고, 어떻게 하나님을 믿고 의지해야 하는지 본을 보이라고 했어요. (딤전 4:12)

· 바울은 교회 지도자들에게 자기 자신의 삶과 가르침에 주의를 기울이라고 말했어요. (딤전 4:16)

디모데후서 4장 1~8절

· 바울은 디모데에게 언제든지 말씀을 전하는 일에 힘쓰라고 말했어요. (딤후 4:2)

· 바울은 디모데에게 모든 일에 신중하여 고난을 견디며 전도자의 직무를 다하라고 말했어요. (딤후 4:5)

· 주님은 그리스도인들에게 의의 면류관을 주실 거예요. (딤후 4:8)

디도서 2장 11~14절

· 하나님은 모든 사람에게 구원을 주시는 은혜를 베푸셨어요. (딛 2:11)

· 그리스도인은 의롭고 경건하게 살아야 해요. (딛 2:12)

· 예수님은 선한 일을 하게 하려고 우리를 구원하셨어요. (딛 2:14)

— 바울은 디모데와 디도에게 편지를 써서 어떤 지도자가 되어야 하는지 조언했어요. 하지만 이 편지들은 디모데와 디도만을 위한 것이 아니에요. 하나님은 이 편지들을 성경에 넣어 모든 교회 지도자가 하나님의 백성을 어떻게 이끌어야 하는지 알 수 있게 하셨어요. 교회 지도자들은 우리가 예수님을 따를 수 있도록 도와주어요. 그래서 하나님은 지도자들이 성도들을 잘 이끌 수 있도록 우리가 그들을 도와주기를 바라세요. 지도자들의 힘을 북돋우고, 그들을 위해 기도하면서 말이에요.

탐험하기

지도자는 누구일까?

준비물 **학생용 교재 20쪽, 연필**

① 각 영역의 지도자에 해당하는 사람을 그리고, 어떤 역할을 하는지 적어 보라고 한다.

② 빈칸에 자신이 지도자 역할을 하고 있거나 지도자가 되고 싶은 영역을 적은 후, 지도자가 된 자신의 모습을 그리라고 한다.

③ 지도자가 되기 위해 필요한 것은 무엇인지 이야기를 나눈다.

— 지도자는 사람들을 이끌고 돕는 일을 해요. 하나님은 교회에 많은 지도자를 주셨어요. 바울은 디모데와 디도에게 편지를 써서 어떤 지도자가 되어야 하는지 조언했어요. 하지만 이 편지들은 디모데와 디도만을 위한 것이 아니에요. 하나님은 이 편지들을 성경에 넣어 모든 교회 지도자가 하나님의 백성을 어떻게 이끌어야 하는지 알 수 있게 하셨어요. 교회 지도자들은 우리가 예수님을 따를 수 있도록 도와주어요. 우리도 하나님 말씀을 읽고 그 말씀을 전하면 사람들이 예수님을 따르도록 돕는 지도자가 될 수 있어요.

어느 지도자일까?

준비물 **학생용 교재 21쪽, 성경, 연필**

① 바울은 디모데와 디도에게 지도자로서 해야 할 일들을 편지에 써서 보냈다고 말해 준다.

② 디모데전서 4장 11~16절, 디모데후서 4장 1~8절, 디도서 2장 11~14절을 읽고 각 말풍선에 해당하는 장과 절을 적으라고 한다.

── 참 잘했어요. **바울은** 디모데와 디도를 포함한 **교회 지도자들에게 하나님의 말씀을 가르치라고 권면했어요.** 하나님은 하나님과 우리 자신에 관한 진실을 알게 하려고 하나님의 말씀을 주셨어요. 교회 지도자들은 성도들이 진리가 무엇인지 알 수 있도록 도와주어요. 그리고 우리를 위해 십자가에서 죽으신 예수님의 본을 따라 교회를 섬겨요. 그래서 하나님은 지도자들이 성도들을 잘 이끌 수 있도록 우리가 그들을 위해 기도하며 도와주기를 바라세요.

진리를 선포하라! *

준비물 **성경, 바구니, 색인 카드, 펜**

① 색인 카드에 성경의 장과 절을 각각 적어 바구니에 넣어 둔다.

(창 1:1; 요 17:3; 계 4:11; 롬 3:23, 6:23, 5:8, 10:9)

② 자원하는 아이에게 바구니에서 카드를 한 장 꺼내 큰 소리로 읽게 한다.

③ 아이들에게 해당하는 성경 구절을 성경에서 찾으라고 한다.

④ 카드를 뽑은 아이에게 다른 아이 중 지도자를 한 명 뽑게 한다.

⑤ 지도자로 뽑힌 아이에게 성경을 들고 성경 구절을 큰 소리로 읽으라고 한다. 나머지 아이들은 모두 "아멘"이라고 답하게 한다.

TIP 가능한 모든 아이가 지도자 역할을 해 보게 한다.

── 모두 정말 잘했어요. **바울은 교회 지도자들에게 하나님의 말씀을 가르치라고 권면했어요.** 성경을 가르치려면 성경에 어떤 말이 있는지 잘 알아야 해요! 하나님은 하나님과 우리 자신에 관한 진실을 알게 하려고 하나님의 말씀을 주셨어요. 우리는 성경을 읽고 다른 사람에게 그 내용을 이야기해 주거나, 직접 성경을 읽어 보라고 격려할 수 있어요.

격려해요 *

준비물 **교회 지도자들을 소개하는 자료, 편지지, 편지 봉투, 사인펜 또는 색연필, 스티커**

① 교회를 섬기는 지도자들을 소개하는 자료를 준비한다. (이름, 직위, 섬기는 일, 장점 등)

② 아이들에게 지도자들을 소개하고, 격려하고 싶은 지도자를 정하게 한다.

③ 준비물을 나누어 주고, 지도자를 격려하는 글을 쓰고 꾸며 보라고 한다.

④ 완성한 격려 편지를 각 지도자에게 전달한다.

— 모두 정말 열심히 편지를 썼어요. 교회 지도자들이 이 편지를 보면 정말 힘이 날 거예요. 오늘 성경 이야기에서 **바울은 교회 지도자들에게 하나님의 말씀을 가르치라고 권면했어요.** 교회 지도자들은 성도들이 진리가 무엇인지 알 수 있도록 도와주어요. 그리고 우리를 위해 십자가에서 죽으신 예수님의 본을 따라 교회를 섬겨요.

보물 상자

나만의 기록장

준비물 학생용 교재 22쪽, 연필

아이들에게 다음 질문에 대해 생각하고 글로 써 보라고 한다.

이 성경 이야기가 말하고 있는…

· 하나님이나 복음에 관한 사실은?

· 나에 관한 사실은?

· 순종해야 할 하나님의 말씀은? 그 말씀은 어떻게 하나님께 영광이 되고, 나에게는 유익이 될까요?

· 기억해야 할 하나님의 약속은? 그 약속은 내가 하나님을 믿고 사랑하는 데 어떤 도움이 되나요?

메시지 카드

이번 주 메시지 카드로 부모님과 함께 오늘 배운 성경 이야기를 나누어 보라고 한다.

기도

하나님, 그리스도인들이 어떻게 살아야 하는지 알 수 있도록 하나님의 말씀을 가르치는 지도자들을 보내 주셔서 감사합니다. 교회를 섬기는 지도자들이 언제나 하나님의 사랑과 은혜 안에서 진리의 말씀만 전하게 해 주세요. 그리고 예수님을 본받아 교회를 섬길 수 있도록 도와주세요. 예수님의 이름으로 기도합니다. 아멘.

칼럼

종의 리더십: 주일학교 사역의 숨은 노고

"형제들아 너희가 자유를 위하여 부르심을 입었으나
그러나 그 자유로 육체의 기회를 삼지 말고
오직 사랑으로 서로 종 노릇 하라"(갈 5:13).

저는 일요일 아침을 언제나 새벽 5시 30분에 시작했습니다. 침대에서 빠져나와 옷을 차려입고, 들고 갈 커피를 재빨리 내린 뒤 집을 나섰지요. 잠든 가족을 뒤로한 채 말입니다. 예배 준비팀이 도착하는 아침 7시가 되기 전에 가능한 청소와 정리를 어느 정도 마쳐 두려고 했습니다. 우리 교회는 공립 중학교에서 모였습니다. 시설은 우리 필요를 충족했지만 수천 명의 중학생이 그곳을 매일 드나들었다는 사실에는 변함이 없었기 때문에, 영유아들은 말할 것도 없고 아이들이 사용하기에 충분히 깨끗한 곳은 아니었습니다.

주일마다 우리 팀은 주차장에 있는 교회용 창고를 열고 온갖 주일학교 용품이 산더미처럼 쌓여 있는 거대한 카트를 밀며 예배를 준비합니다. 쥐가 우리 간식을 찾아내지 못했기를 바라면서 말이지요! 모든 일정이 끝나면 물건들을 다시 카트에 담아 제자리에 갖다 놓습니다. 유치부 아이가 사인펜으로 해 놓은 낙서 때문에 프로젝터용 스크린을 교체하기도 했지만, 대부분 우리는 그곳을 사용한 적이 없었던 것처럼 깨끗이 정리해 놓았습니다.

두말할 필요 없이 그것은 고된 노동이고, 가끔은 저도 그 점이 화가 났습니다. 원수는 제 머릿속에서 아무도 이 고생을 몰라준다고 속삭였습니다. '이 교회 공동체는 내가 그들의 자녀를 위해 매주 어떤 일을 하는지 알기나 하는 걸까? 우리 예배팀의 자원봉사자들은 그들이 도착하기 한 시간 전부터 내가 귀뚜라미를 쓸어 냈다는 것을 알까? 나머지 교역자들은 내가 창고에서 엄청난 상자를 들어 올리느라 허리를 삔 것을 알까?' 이런 저런 생각이 머리를 스치는 찰나에 주님은 제 마음을 붙드셨습니다. 그리고 리더십이란 팀을 구성하고, 자원봉사자들을 훈련하며, 교육 콘텐츠를 개발하는 것이 전부가 아니라고 가르치셨습니다. 그런 것들이 리더십의 일부이듯이 다른 사람의 눈에 띄지 않는 부분도 리더십의 일부라는 것입니다. 마치 다른 누군가가 하는 것이 당연한 것 같은 그런 일들 말입니다.

오스왈드 샌더스(J. Oswald Sanders)는 그의 책《영적 지도력》(Spiritual Leadership)에서 영적 리더십과 종의 리더십이 어떻게 병행되는지 설명합니다. 그는 "리더십을 갈망하는 사람들은 명예로운 일을 추구한다. 교회에는 더 적은 리더가 아니라 더 많은 리더가 필요하다. 그러나 우리에게 필요한 리더는 '권위 있고, 영적이며, 희생할 줄 아는' 리더다"라고 말합니다. 하나님 나라 중심의 리더십에는 희생이 따릅니다. 때로는 복음을 위해 고난을 받기도 합니다.

여러분에게는 어떤 일이 그런 일인지 모르겠습니다. 일의 내용은 모두 다를 것입니다. 여러분 중 누구는 수백 개의 만들기 재료를 정리하는 일을 맡았을 수도 있고, 누구는 종이컵에 간식 담는 일을, 누구는 다른 사람이 쓰던 공간을 예배 장소로 재구성하는 일을, 또 누구는 끝도 없이 복사하는 일을 맡았을 수도 있습니다. 하지만 저는 여러분께 저 자신에게 했던 말로 도전하고 싶습니다. 어린이들을 섬기는 기쁨을 도둑맞고 싶지 않다면 이런 일로 불평하지 마십시오. 한 아이가 자기 인생에서 처음으로 하나님의 음성을 듣는 곳이 될 수도 있는 공간을 위해 기도하는 기쁨을 놓치지 마십시오.

여러분이 하는 사역의 리더십은 종종 다른 사람이 보고 있지 않을 때 발휘됩니다. 그리고 이것이야말로 하나님 나라의 확장 사역을 수행하기 위해 반드시 갖추어야 하는 종의 리더십입니다. 리더십의 핵심이지요. 우리 몸이 생산할 수 없는 영양소처럼 여러분이 하는 모든 일의 DNA에 필요합니다. 아무도 보지 않을 때도 말입니다. 풍성한 주일학교 사역을 한다는 것은 아이들과 그들의 가족이 건물에 들어서기 전부터 가장 기본적인 필요가 충족되고 있는지 확인하는 것을 의미합니다.

자나 매그루더(Jana Magruder)는
라이프웨이키즈(LifeWay Kids)에서 디렉터로 섬기고 있습니다.
그는 베일러대학교(Baylor Univeristy)를 졸업하고 다양한 경험과
열정으로 주일학교와 교육, 출판 사역에 헌신하고 있습니다.

2단원 변화시키시는 하나님

바울을 비롯한 초대교회 지도자들은 성령님이 우리 마음과 생각을 변화시키셔서 예수님을 사랑하고 섬기며, 예수님이 맡기신 임무를 잘 수행할 수 있게 하신다는 사실을 기억하도록 성도들에게 편지를 썼습니다.

우리는
하나님의 자녀예요

마음을 새롭게 해
변화를 받아요

성령의 열매를
맺어요

The Gospel Project

하나님의 전신 갑주를
입어요

기쁘게 주어요

믿음의 사람들

카운트다운 – 차곡차곡 블록

카운트다운 영상(지도자용 팩)을 틀고 예배 준비 자세를 취하도록 격려한다. 예배가 시작되는 시간에 영상이 끝나도록 맞추어 놓는다. 영상이 끝나기 30초 전에 예배 인도자는 정해진 위치에 서서 조용히 기도하는 모범을 보인다.

무대 배경 – 발명 작업실

발명가의 작업실처럼 꾸민다. 오래된 가전제품, 재활용품, 테이프 같은 도구들과 공구 상자를 무대 곳곳에 흩어 놓는다. 화면에 '발명 작업실' 배경 이미지(지도자용 팩)를 띄운다.

6

우리는 하나님의 자녀예요

롬 8:12~39

단원 암송

그런즉 누구든지 그리스도 안에 있으면 새로운 피조물이라 이전 것은 지나갔으니 보라 새것이 되었도다(고후 5:17).

성경의 초점

누가 우리를 거룩하게 변화시키시나요? 성령님이 하나님의 영광을 위해 우리가 예수님을 닮아 가도록 변화시키세요.

본문 속으로

바울이 살던 시대에 로마는 중요한 도시였습니다. 바울은 로마 제국의 수도에 있는 교회가 복음에 든든히 뿌리내리는 것이 중요하다는 것을 알았습니다. 신약성경에서 언급되는 다른 교회들과 달리 로마 교회는 바울이 세운 교회가 아니었습니다. 오히려 한 번도 가 보지 못한 교회였습니다. 이 편지를 쓸 당시 바울은 로마에 있는 성도들이 복음을 제대로 이해하도록 돕기 위해 처음으로 로마를 방문할 계획이었습니다.

로마서는 성경을 통틀어 복음이 무엇인지를 가장 명쾌하게 설명하는 책입니다. 바울은 우리 모두를 괴롭히는 죄 문제를 설명하는 것으로 편지를 시작합니다. 그 후에 예수님의 완전한 삶과 죽음과 부활이 예수님을 믿는 사람을 구원하기에 충분하다는 사실을 알려 줍니다.

로마서 5장은 사람들을 그리스도로부터 멀어진 연약하고 경건하지 않은 죄인이자 원수로 묘사합니다. 그리고 8장에서는 예수님과의 교제가 우리에게 어떤 변화를 일으키는지 보여 줍니다. 바울은 성도를 가리켜 그리스도 안에 있는 하나님의 자녀라고 말합니다. 이 얼마나 대단한 변화입니까!

복음은 단지 죽음이라는 죄의 궁극적 결과로부터 우리를 구하는 역할만 하는 것이 아닙니다. 하나님 앞에서 어중간한 위치에 서도록 하는 것도 아닙니다. 복음으로 인해 우리는 하나님의 자녀가 되며, 하나님을 사랑하는 아버지라고 부를 수 있는 권한과 특권을 가지게 됩니다. 하나님의 자녀가 된다는 것은 두려워할 것이 없다는 뜻입니다. 하나님과 우리의 관계는 영원토록 확고한 관계입니다.

티칭 포인트

아이들을 가르칠 때, 아버지와 관계가 좋지 않은 아이가 있을 수 있다는 점을 염두에 두십시오. 아버지가 없는 아이도 있을 것입니다. 하나님은 우리의 완전한 아버지시라는 점을 사랑을 담아 부드럽게 설명해 주십시오. 언제나 우리 곁에 계시며 하나님의 아들 예수님으로 말미암아 우리를 무조건 사랑하시는 아버지라고 말해 주십시오.

주 제

하나님은 예수님을 믿는 우리를 하나님의 자녀로 삼으세요.

가스펠 링크

우리는 하나님의 자녀로 입양되었어요. 죄에서 자유롭게 되었고, 옳은 일을 할 수 있는 능력을 받았어요.

우리는 하나님의 자녀예요 롬 8:12~39

초대교회 지도자이며 선생이었던 바울은 로마에 있는 성도들에게 편지를 썼어요. 바울은 그곳 성도들을 만나러 갈 계획이었어요. 그들이 예수님을 바르게 믿도록 도와주기 위해서였지요.

바울은 그리스도인은 어떻게 살아야 하는지를 그들이 기억하기를 바랐어요. 그는 편지에 예수님을 믿으면 하나님이 성령님을 주시고 우리를 하나님의 자녀로 삼아 주신다고 썼어요. 그러면 우리의 생각과 행동이 완전히 달라진다고 말했어요.

성령님은 그리스도인이 죄를 거부할 수 있도록 도와주세요. 그리고 하나님을 기쁘시게 하는 삶을 살아갈 능력을 주시지요. 성령님은 죄의 종이었던 우리를 하나님의 자녀라고 하세요. 이제 우리는 하나님을 두려워할 필요가 없어요. 하나님은 마치 아버지처럼 우리를 사랑하시니까요!

하나님은 하나밖에 없는 아들 예수님을 이 땅에 보내 십자가에서 죽게 하셨어요. 예수님은 죄를 지은 적이 없으세요. 그런데도 예수님은 십자가에서 죽으심으로써 우리가 받아야 할 죗값을 대신 치르셨어요. 예수님을 믿으면 성부 하나님은 우리 죄를 용서하시고 우리를 하나님의 자녀로 삼아 주세요! 이제 우리는 하나님의 자녀예요! 하나님의 자녀가 된 우리의 장래는 엄청나게 밝아요. 이 세상에 사는 동안 여러 가지 문제나 어려움을 만나기도 하겠지만, 하나님은 우리에게 놀라운 복을 주실 거예요. 우리는 하나님과 영원히 함께하게 될 거예요.

바울은 편지에서 우리가 연약할 때 성령님이 도우신다고 말했어요. 무엇을 기도해야 할지 모를 때도 성령님이 우리를 위해 기도하신다고 썼지요. 성령님은 예수님을 닮아 가도록 우리를 변화시키세요. 하나님 아버지는 예수님이라는 가장 큰 선물을 우리에게 주셨어요. 필요한 다른 모든 것도 주실 거예요. 하나님은 우리를 사랑하세요. 어떤 것도 우리를 하나님의 사랑에서 끊을 수 없어요. 죽음도 하나님의 사랑에서 끊을 수 없어요. 생명도 하나님의 사랑에서 끊을 수 없어요. 이 세상 어느 것도 우리를 예수님 안에 있는 하나님의 사랑에서 끊을 수 없어요.

●● 가스펠 링크

하나님은 예수님을 닮아 가도록 우리를 변화시키세요. 우리는 하나님의 자녀로 입양되었어요. 죄에서 자유롭게 되었고, 옳은 일을 할 수 있는 능력을 받았어요. 하나님 아버지는 예수님을 믿는 우리를 맞아 주시고 영원히 함께하기로 약속하셨어요.

가스펠 준비
(10~20분)

환영

도착하는 아이들을 반갑게 맞이하고 헌금, 출석, QT 등을 확인하며 격려한다. 새 친구가 있다면 소개한다. 편안한 분위기에서 안부를 물으며 오늘의 말씀과 관련된 화제로 이야기를 나눈다. 아이들에게 가족의 어떤 점이 좋은지, 가족과 함께한 좋은 추억이 있는지 물어본다. 자발적으로 대화에 참여하도록 이끈다.

예) "여러분 가족의 어떤 점이 좋은가요?", "가족과 함께한 좋은 추억이 있나요?", "어떤 추억인가요?" 등.

— 하나님은 우리에게 가족을 주셨어요. 여러분의 가족은 누구인가요? 아빠, 엄마, 누나, 형, 언니, 동생 등 여러 사람이 생각날 거예요. 그런데 놀라운 사실 하나 알려 줄까요? 하나님은 그리스도인을 모두 하나님의 가족이 되도록 부르셨다는 거예요! 함께 살지 않아도 우리가 한 가족이라는 거예요. 도대체 무슨 말일까요?

마음 열기

연관성을 찾아라 *

준비물 **색인 카드, 펜**

① 색인 카드에 다음의 예시를 각각 적어 둔다.

- 사과, 아보카도, 딸기 (과일)
- 다리, 코, 발 (신체의 일부)
- 흐린, 맑은, 비 오는 (날씨)
- 종이, 지우개, 연필 (필기도구)
- 김치, 된장찌개, 밥 (음식)

② 인도자가 카드를 한 장 꺼내 아이들에게 보여 주고, 카드에 적힌 단어 3개의 연관성을 찾으라고 한다.

③ 정해진 시간 안에서 단어를 보여 주고 연관성 찾기를 반복한다.

— 모두 잘했어요! 한 문제 더 내 볼게요. 답을 아는 사람은 손을 드세요. 아빠, 엄마, 누나, 형. 손을 든 아이 중 한 명을 지목한다. 맞아요! '가족'이에요. 우리가 하나님의 가족이 되면 예수님을 믿는 모든 사람이 서로 형제자매가 된다는 사실을 알고 있나요? 우리는 어떻게 하나님의 가족이 되는지 오늘 성경 이야기를 잘 들어 보세요.

'가족' 카드놀이 *

준비물 **색인 카드, 사인펜**

① '가족'을 자음과 모음으로 풀어 색인 카드에 각각 적는다. 2명당 3세트씩 돌아가도록 준비한다.

② 아이들을 2명씩 짝을 짓고, 카드를 나누어 준다.

③ 카드를 섞어 5장씩 가진 후, 남은 카드는 뒤집어서 가운데 놓고 '가져가기' 카드로 사용하라고 한다.

④ 한 사람씩 맨 위에 있는 '가져가기' 카드를 가져간 다음, 가지고 있는 카드 중 한 장을 내놓으라고 한다. 항상 카드를 5장씩 가지고 있어야 한다고 말해 준다.

⑤ 카드놀이를 하면서 '가족'의 자음과 모음을 다 모아 단어를 완성해야 한다고 일러 준다.

— 오늘 성경 이야기는 하나님의 가족에 관한 이야기예요. 하나님에게도 가족이 있다는 것 알고 있나요? 성경 이야기를 잘 듣고 좀 더 자세히 알아보아요.

교사를 위한 기록장 이 과를 준비하면서 깨닫게 된 묵상을 정리해 보세요.

· 하나님이나 나에 대해 새롭게 알게 된 것은?

· 기억해야 할 하나님의 말씀은?

· 아이들에게 전하고 싶은 메시지는?

가스펠 **설교**
(15~30분)

들어가기

준비물 **작업용 앞치마, 보안경, 책상, 도구**(비커, 온도계, 가위, 드라이버 등), **성경**

작업용 앞치마를 두르고, 보안경을 착용하고 들어온다. 무엇을 찾는 듯 책상 위에 늘어놓은 도구들을 살펴보다가 아이들에게 말을 건넨다.

여러분, 안녕하세요! 만나서 반갑습니다. 제 연구실에 오신 것을 환영해요! 저는 인도자 이름 박사이고요, 발명가이자 병아리 신학자랍니다. 말하자면 새로운 것을 만들기 좋아하고, 성경을 공부하며 하나님에 관해 배우는 것을 좋아하는 사람이지요. 성경 이야기가 나왔으니 말인데요. 도구들을 다시 살핀다. 죄송해요. 성경을 엉뚱한 곳에 둔 것 같네요. 혹시 제 성경 본 사람 있나요? 성경이 어떻게 생겼는지 간단하게 설명하고, 아이들이 가리키게 한다. 아하, 고마워요! 이제 제가 왜 발명을 좋아하는지 이야기해 줄게요. 저는 날마다 평범해 보이는 것을 관찰하고 연구해요. 토스터나 전기 회로판, 낡은 가구 같은 것 말이에요. 그런 다음 그것으로 뭔가 새로운 것을 만들지요. 가끔은 너무 많이 고쳐서 원래 무엇이었는지 못 알아볼 때도 있답니다!

성경은 예수님을 믿는 사람도 그와 같은 큰 변화를 겪는다고 말해요. 맞아요. 예수님을 만난 후 전혀 알아보지 못할 만큼 달라지는 사람도 있지요.

오늘 여러분에게 하나님의 거룩한 말씀에 나오는 이야기를 들려줄 수 있어서 무척 기뻐요. 성경을 들어 올린다. 성경에 나오는 이야기는 모두 진짜예요! 성경 이야기를 들을 준비가 되었나요?

연대표

성경은 수많은 짧은 이야기로 이루어져 있다는 것 알고 있나요? 수많은 이야기가 모여 하나님이 예수님을 보내셔서 죄인들을 구원하시는 하나의 큰 이야기가 되지요. 앞으로 몇 주 동안 우리가 들을 이야기는 신약성경의 서신서에 나오는 것들이에요. 신약의 많은 편지를 바울이라는 사람이 썼어요. 바울은 예수님을 믿으면 하나님이 성령님을 주시고 그들을 하나님의 자녀로 만들어 주신다고 했어요. 바울은 로마의 성도들에게 편지를 썼어요. 그 편지는 로마서라는 이름으로 성경에 있지요.

연대표에서 오늘의 성경 이야기를 가리킨다. 오늘 성경 이야기는 이 로마서에 나와요. 예수님을 믿고 하나님의 자녀가 되는 일에 관한 이야기랍니다.

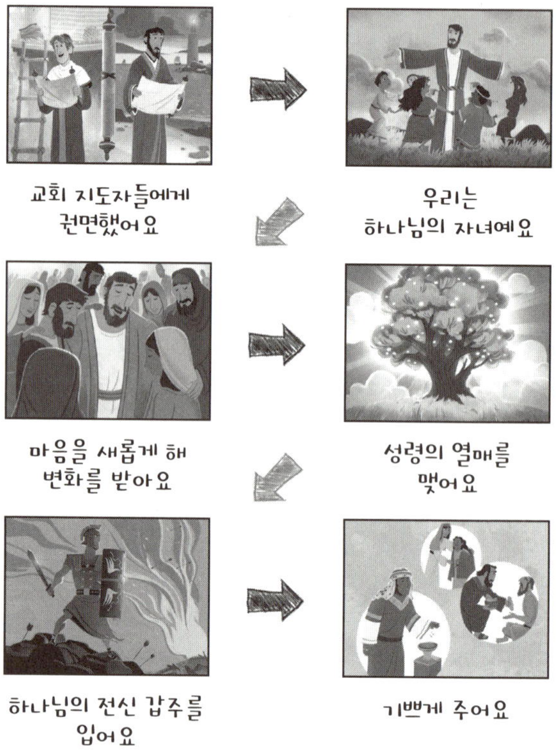

성경의 초점

함께 모여 성경 이야기를 들을 때마다 '성경의 초점' 질문이 하나씩 있었지요? 이번 질문은 성경이라는 큰 관점에서 하나님이 어떤 계획을 갖고 계시는지 알 수 있도록 도와주어요. 새로운 '성경의 초점' 질문은 바로 **"누가 우리를 거룩하게 변화시키시나요?"**랍니다. 성경 이야기를 잘 듣고 답이 무엇인지 찾아보세요.

성경 이야기

DVD 로마서 8장을 펴고, 설교 영상(지도자용 팩)을 보여 주거나 이야기 성경을 들려준다. 다양한 모습의 가족사진을 보여 주며 이야기를 한다. 하나님의 가족이 되는 것이 얼마나 기쁘고 좋은 일인지 상기시켜 준다.

우와! 하나님이 우리에게 말씀을 주셔서 얼마나 감사한지 모르겠어요! 이것은 정말 힘이 되는 이야기예요. 예수님을 믿고 의지할 때 우리에게 어떤 일이 일어나는지 말해 주고 있으니까요. 사실 성경은 예수님이 없다면 우리는 하나님의 원수일 수밖에 없다고 말해요! 우리는 모두 하나님 앞에서 죄인이고, 그래서 죽어야 하는 사람들이지요. 성경은 예수님을 믿지 않는 사람을 '진노의 자녀'라고 말해요(엡 2:3 참조). 하지만 하나님은 하나님의 아들 예수님을 보내 우리 대신 십자가에서 죽게 하셨어요. **하나님은 예수님을 믿는 우리를 하나님의 자녀로 삼으세요.** 우리를 용서하시는 것뿐만 아니라 자녀로 삼으셔서 하나님과 영원히 특별한 관계를 맺게 하시는 거예요.

하나님은 우리의 아빠 아버지세요(갈 4:6 참조). 선하시고 사랑이 많으시지요. 우리를 잘 아시고 돌보아 주세요. 하나님은 우리에게 좋은 선물을 주실 뿐 아니라 자녀처럼 꾸짖기도 하세요. 우리는 이제 하나님의 자녀가 되어 다른 그리스도인과 함께 한 가족이 되었어요. 우리는 모두 그리스도 안에서 형제자매랍니다.

가스펠 링크

누가 우리를 거룩하게 변화시키시나요? 성령님이 하나님의 영광을 위해 우리가 예수님을 닮아 가도록 변화시키세요. 하나님은 예수님을 믿는 우리를 하나님의 자녀로 삼으세요. 우리는 하나님의 자녀로 입양되었어요. 죄에서 자유롭게 되었고, 옳은 일을 할 수 있는 능력을 받았어요. 하나님 아버지는 예수님을 믿는 우리를 맞아 주시고 영원히 함께하기로 약속하셨어요.

DVD

복음 초청

성경과 21쪽 복음 초청 가이드를 이용해서 아이들에게 그리스도인이 되는 법을 설명해 준다. 따로 상담해 줄 사람을 정해 주고 궁금한 점이 있으면 물어보도록 격려한다.

이 시간 예수님을 마음에 모시고 싶은 친구는 함께 기도해요.

기도

하나님, 예수님을 통해 우리를 구원해 주시고 하나님의 자녀로 삼아 주셔서 감사합니다. 하나님은 우리의 하늘 아버지시고, 언제나 우리를 사랑하세요. 하나님께 영광을 돌리고 하나님을 높이는 삶을 살도록 우리를 인도해 주세요. 예수님의 이름으로 기도합니다. 아멘.

적용

TIP 설교 도입이나 적용으로 활용하거나 영상을 본 뒤 소그룹으로 나누어 풍성한 대화를 이어 갈 수 있습니다.

예수님을 믿기 전에는 죄가 우리를 하나님에게서 갈라놓았어요. 성경은 우리가 하나님의 원수였다고 말해요. 하지만 예수님을 믿고 난 후에는 하나님의 자녀가 되었고, 영원한 소망과 밝은 미래가 생겼지요. 오늘의 영상을 함께 보아요.

DVD 적용 예화 영상(지도자용 팩)을 보여 준 후, 다음의 질문으로 이야기를 나눈다.

1. 컵케이크들은 왜 두려워했나요? 그리고 무엇 때문에 안심했나요?
2. 두려워하는 것이 있나요? 우리에게 가장 큰 위안이 되는 것은 무엇인가요?
3. 하나님의 자녀가 된 후 우리의 미래는 어떻게 달라졌나요?

우리가 예수님을 믿으면 하나님은 우리를 반갑게 맞아 주시고 하나님과 함께하는 영원한 미래를 약속하세요. 성경은 이 세상 어떤 것도 우리를 하나님의 사랑에서 끊을 수 없다고 말해요. 하나님은 우리를 위해 놀라운 복을 준비해 두셨어요. 언젠가 우리는 영원히 하나님과 함께하게 될 거예요.

가스펠 **소그룹**
(10~20분)

나침반

말씀 풍선을 찾아라!

"그런즉 누구든지 그리스도 안에 있으면 새로운 피조물이라 이전 것은 지나갔으니 보라 새것이 되었도다"(고후 5:17).

준비물 **2단원 암송**(111쪽), **풍선, 매직**

① 아이들에게 풍선을 하나씩 주고 불게 한다.

② 아이들이 분 각각의 풍선에 2단원 암송 구절을 어절 단위로 적은 후, 예배실 곳곳에 흩어 놓는다.

③ 아이들과 함께 암송 구절을 읽고, 흩어진 풍선을 모아 고린도후서 5장 17절을 순서대로 바르게 완성하게 한다.

④ 완성한 암송 구절을 다시 한번 큰 소리로 읽는다.

— 예수님을 만난 사람은 누구나 어떤 방식으로든 변해요. 그중에서도 예수님을 믿고 의지하며 믿음으로 사는 사람들은 모든 것이 변하지요. **누가 우리를 거룩하게 변화시키시나요? 성령님이 하나님의 영광을 위해 우리가 예수님을 닮아 가도록 변화시키세요.** 우리는 이제 죄의 노예가 아니라 새로운 피조물이에요. 그리스도 안에서 한 가족이 된 거예요. 우리는 하나님의 자녀예요!

보물 지도

내 생각은

준비물 **성경**

① 아이들을 둥그렇게 앉히고, 성경에서 로마서 8장 12~17절을 찾으라고 한다.

② 성경에는 66권의 책이 있으며, 로마서는 신약성경에서 바울 서신서에 해당한다고 설명해 준다.

③ 질문에 대답할 때, 정답의 근거가 되는 성경의 장과 절을 함께 말하라고 한다.

1 육체를 따라 살면 어떤 일이 일어날까요? 죽는다 (롬 8:13)

2 우리가 받은 영은 어떤 영인가요?

양자의 영 또는 하나님의 자녀가 되게 하는 영 (롬 8:15)

3 성령님은 무엇을 증언하시나요? 우리가 하나님의 자녀인 것 (롬 8:16)

④ 다음의 질문으로 이야기를 나눈다.

· 이 성경 이야기의 어떤 점이 마음에 드나요?

· 이 성경 이야기에서 놀랍거나, 혼란스러운 점이 있나요?

· 이 성경 이야기는 우리가 어떻게 해야 한다고 말하나요? 또는 무엇을 믿어야 한다고 말하나요?

— **하나님은 예수님을 믿는 우리를 하나님의 자녀로 삼으세요.** 하나님은 말씀을 주셔서 하나님과 우리 자신에 관한 진실이 무엇인지 알게 해 주세요. 우리가 예수님을 믿기 전에는 죄 때문에 하나님에게서 멀리 떨어져 있었고, 죄의 종이었어요. 성경은 예수님을 믿는 사람은 누구든지 변화되어 새로운 피조물이 된다고 말해요! 예수님을 믿는 우리는 하나님의 자녀로 입양되었어요. 죄에서 자유롭게 되었고, 옳은 일을 할 수 있는 능력을 받았으며, 하나님의 가족이 되었지요.

탐험하기

우리의 신분은?

준비물 **학생용 교재 24쪽, 연필**

하나님의 자녀가 된 우리의 신분증을 완성해 보라고 한다.

예시

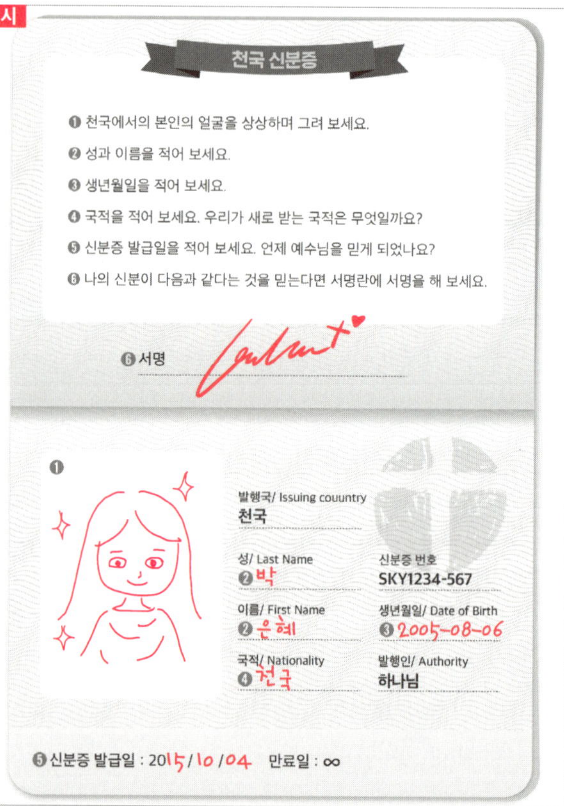

— **하나님은 예수님을 믿는 우리를 하나님의 자녀로 삼으세요.** 우리는 모두 하나님의 가족이에요. 하나님의 자녀

가 된 우리는 죄를 용서받고, 자유를 얻었으며, 옳은 일을 할 수 있는 능력도 받았지요. 또 성령님은 우리를 예수님처럼 변화시키셔서 기쁜 소식을 온 세상에 전하며 하나님께 영광을 돌릴 수 있도록 도와주세요.

하나님의 자녀란?

준비물 **학생용 교재 25쪽, 연필**

하나님의 자녀가 되면 어떤 권세와 복을 누리게 되는지 ○표 해 보라고 한다.

— **하나님은 예수님을 믿는 우리를 하나님의 자녀로 삼으세요.** 우리는 더이상 죄와 두려움의 종이 아니에요. 하나님의 자녀는 언제라도 하나님께 가까이 갈 수 있는 특별한 복을 누리게 되어요. 하나님은 우리를 사랑하시고, 우리를 너무나 잘 아세요. 우리를 돌보시고, 좋은 선물도 주시지요. 그뿐만 아니라 하나님은 우리를 꾸짖기도 하시며 바른길로 인도하세요. 우리는 모두 예수님 안에서 한 가족이에요.

공통점 찾기 *

준비물 **종이, 연필**

① 아이들에게 예배실 곳곳으로 흩어지라고 한다.

② 인도자가 숫자를 말하면, 그 수만큼 모여 팀을 만들라고 한다.

③ 모든 아이가 팀에 들어갈 수 있도록 숫자를 부른다.

예) 아이들이 13명이면, '4, 9' 또는 '3, 4, 6'이라고 외친다.

④ 팀별로 종이와 연필을 나누어 주고, 팀원들의 공통점이 무엇인지 적어 보라고 한다.

⑤ 팀별로 공통점을 발표하게 한다.

— 서로의 공통점을 잘 찾았어요! 모든 그리스도인의 공통점은 더는 하나님의 원수가 아니라 하나님의 자녀라는 점이에요.

보물 상자

나만의 기록장

준비물 **학생용 교재 26쪽, 연필**

아이들에게 다음 질문에 대해 생각하고 글로 써 보라고 한다.

이 성경 이야기가 말하고 있는…

· 하나님이나 복음에 관한 사실은?

· 나에 관한 사실은?

· 순종해야 할 하나님의 말씀은? 그 말씀은 어떻게 하나님께 영광이 되고, 나에게는 유익이 될까요?

· 기억해야 할 하나님의 약속은? 그 약속은 내가 하나님을 믿고 사랑하는 데 어떤 도움이 되나요?

메시지 카드

이번 주 메시지 카드로 부모님과 함께 오늘 배운 성경 이야기를 나누어 보라고 한다.

기도

사랑의 하나님, 예수님을 믿는 누구에게나 성령님을 주시고 하나님의 자녀가 되게 해 주셔서 감사합니다. 그 어느 것도 우리를 향한 하나님의 사랑을 끊을 수 없다는 말씀이 큰 힘이 됩니다. 하나님은 예수님을 믿고 하나님의 자녀가 된 우리에게 옳은 일을 할 수 있는 능력을 주십니다. 그 힘으로 하나님께 영광 돌리는 삶을 살도록 인도해 주세요. 예수님의 이름으로 기도합니다. 아멘.

7

마음을 새롭게 해 변화를 받아요

롬 12:1~18; 고전 1:9; 빌 1:3~7

단원 암송

그런즉 누구든지 그리스도 안에 있으면 새로운 피조물이라 이전 것은 지나갔으니 보라 새것이 되었도다(고후 5:17).

성경의 초점

누가 우리를 거룩하게 변화시키시나요? 성령님이 하나님의 영광을 위해 우리가 예수님을 닮아 가도록 변화시키세요.

본문 속으로

바울의 편지들은 대부분 같은 전개를 따릅니다. 편지의 첫 부분에는 중요한 복음의 진리에 집중합니다. 다음으로 그 진리가 우리의 일상생활을 어떻게 만들며, 우리는 어떻게 살아가야 하는지 설명합니다. 복음으로 인한 삶의 변화를 설명하는 것입니다.

바울은 로마서 1~11장에서는 복음에 대해 설명하고, 12~16장에서는 그 복음이 우리를 어떻게 변화시키는가에 대해 집중적으로 다룹니다. 로마서 12장 1~2절은 이 두 부분을 연결하는 고리입니다. 바울은 성도들에게 하나님의 긍휼을 명심하라고 촉구합니다. 은혜와 긍휼이 많고 선하신 하나님은 예수님을 보내 우리의 죗값을 대신 치르게 하셨습니다. 그리고 우리를 하나님의 가족이 되게 하셨습니다.

그 후에 바울은 복음이 우리에게 어떤 영향을 미치는지 요약하며 기대하게 합니다. 우리는 하나님을 기쁘시게 하는 산 제물이 되어야 합니다. 어떻게 그렇게 될 수 있을까요? 답은 로마서 12장 2절에 있습니다. 마음을 새롭게 함으로 변화를 받아야 합니다. 성령님에 의해 변화를 받아 마음이 새로워지면, 무엇이 하나님을 기쁘시게 하는지, 하나님의 뜻이 무엇인지를 깨닫게 됩니다. 복음은 먼저 우리의 마음과 생각을 바꿉니다. 그리고 결과적으로 우리의 삶을 바꿉니다. 이것이 우리가 하나님을 기쁘시게 하고 영화롭게 하는 방법입니다.

티칭 포인트

아이들을 가르칠 때, 복음으로 삶이 변화되는 것이 얼마나 중요한지 일깨워 주십시오. 자신의 노력으로는 하나님을 기쁘시게 할 수 없을 뿐만 아니라 하나님도 그것을 원하지 않으십니다. 복음을 의지하는 것이 무엇인지, 그리스도 예수 안에서 새롭게 되는 것이 어떤 의미인지 아이들이 깨달을 수 있도록 도와주십시오. 그리고 성령님이 아이들의 생각과 마음과 행동을 인도하신다는 것이 어떤 의미인지 설명해 주십시오. 하나님이 우리의 마음을 변화시키시게 하는 방법 중 하나는 하나님의 말씀을 읽는 것입니다. 아울러 이번 주에 아이들이 성경을 읽는 시간을 갖도록 격려해 주십시오.

주 제

하나님은 우리가 서로 아끼고 사랑하며 교제하기를 바라세요.

가스펠 링크

예수님의 죽음과 부활로 우리는 하나가 되었어요. 그리고 성령님은 우리의 생각과 삶을 변화시키세요. 하나님이 우리를 사랑하시듯이 우리도 서로 사랑할 수 있어요.

이야기 성경

마음을 새롭게 해 변화를 받아요 롬 12:1~18; 고전 1:9; 빌 1:3~7

바울은 초대교회의 선교사이자 선생이었어요. 여러 곳을 여행하며 복음을 전하고 그리스도인들을 가르쳤어요. 직접 만날 수 없는 사람들에게는 편지를 썼어요. 바울은 로마에 있는 성도들에게 편지를 보냈어요. 편지에서 예수님을 믿는 사람은 하나님이 기뻐하시는 거룩한 삶을 살아야 한다고 말했어요. 하나님은 성도들이 서로 아끼고 사랑하며 살아가도록 부르셨어요.

하나님은 우리를 긍휼히 여기세요. 하나님의 사랑을 받을 자격이 없는 죄인 된 우리에게 사랑을 베푸셨어요. 바울은 이렇게 말했어요. "그러므로 하나님이 기뻐하시는 모습으로 사십시오. 예수님을 믿지 않는 사람들을 따라 살지 마십시오. 하나님이 여러분의 생각을 바꾸시게 하십시오. 성령님은 여러분 안에 계십니다. 그분이 옳은 길을 보여 주시면, 여러분을 위한 하나님의 선한 계획을 알게 될 것입니다."

"자신의 실제 모습보다 더 낫게도 나쁘게도 생각하지 마십시오. 모든 사람은 똑같지 않습니다. 하나님은 모든 사람에게 믿음을 주시지만, 믿음의 양은 저마다 다릅니다. 하나님은 우리에게 각각 다른 선물(은사)을 주셨습니다. 어떤 사람은 예언의 선물을, 어떤 사람은 가르침의 선물을 받았습니다. 어떤 사람은 섬김을, 어떤 사람은 격려를, 어떤 사람은 나누는 일을, 어떤 사람은 남을 이끄는 일을, 어떤 사람은 긍휼히 여기는 일을 선물로 받았습니다. 몸의 각 부분이 힘을 합쳐 일하듯이 그리스도인들도 함께 일해야 합니다. 우리는 모두 예수님 안에서 한 몸입니다."

우리가 할 일은 서로를 한 가족처럼 사랑하는 거예요. 우리는 소망 안에서 기뻐하고, 어려운 일을 만나도 오래 참으며, 기도를 멈추지 말아야 해요. 바울은 "기뻐하는 사람이 있으면 함께 기뻐하고, 슬퍼하는 사람이 있으면 함께 슬퍼하십시오. 가능하면 모든 사람과 사이좋게 지내십시오."라고 말했어요.

훗날 바울은 로마에 있는 감옥에 갇혔어요. 그곳에서 빌립보에 있는 성도들에게 편지를 썼어요. 바울은 그들의 삶 속에서 하나님이 일하시기 때문에 기쁘다고 말했어요. 성도들은 바울에게 헌금을 보내거나 그를 위해 기도했어요. 바울은 그들로 인해 하나님께 감사드렸어요. 바울은 하나님이 그들을 점점 더 예수님을 닮아 가도록 변화시키고 계시다는 것을 알았어요.

●● 가스펠 링크

하나님은 우리가 서로 아끼고 사랑하며 교제하기를 바라세요. 그리스도인은 모두 예수님에게 속해 있어요. 예수님의 죽음과 부활로 우리는 하나가 되었어요. 그리고 성령님은 우리의 생각과 삶을 변화시키세요. 하나님이 우리를 사랑하시듯이 우리도 서로 사랑할 수 있어요.

가스펠 준비
(10~20분)

환영

도착하는 아이들을 반갑게 맞이하고 헌금, 출석, QT 등을 확인하며 격려한다. 새 친구가 있다면 소개한다. 편안한 분위기에서 안부를 물으며 오늘의 말씀과 관련된 화제로 이야기를 나눈다. 아이들에게 사람이 1살에서 10살까지 어떻게 변하는지 물어본다. 자발적으로 대화에 참여하도록 이끈다.

예) "성장이란 무엇일까요?", "1살에서 10살까지 어떻게 변하나요?" 등.

— 여러분은 1살에서 10살까지 자라면서 정말 많이 변했지요? 오늘은 그리스도인이 된 사람이 어떻게 변화되는지 배울 거예요.

마음 열기

어떻게 변할까? *

준비물 종이, 색연필

① 아이들에게 종이를 4등분이 되도록 접은 후, 각 칸에 1부터 4까지 숫자를 쓰라고 한다.

② 계절이 바뀌거나, 식물이 자라고 시드는 등 변하고 달라지는 것에 관해 설명해 준다.

예) 씨앗이 나무가 되는 과정, 애벌레가 나비가 되는 과정, 풍선이 점점 부푸는 과정, 성인 남자의 얼굴에 수염이 자라는 과정 등.

③ 예를 든 것처럼 변화를 나타내는 그림을 그려 보라고 한다.

④ 첫 번째 칸부터 점진적으로 변화하는 모습이 나타나야 한다고 말해 준다.

— 누군가가 예수님을 믿으면 그 사람이 변화된다는 것을 알고 있나요? 물론 한눈에 알아볼 만큼 곧바로 변화가 나타나는 것은 아니지만 말이에요. 오늘 성경 이야기를 통해 좀 더 자세히 배워 보아요.

모이고 줄 서기 *

① 아이들에게 인도자가 외치는 대로 줄을 서라고 한다.

② 인도자는 특정한 순서대로 줄을 서거나, 공통점에 따라 모이도록 지시한다.

· 이름 가나다 순서대로 줄을 서세요.

· 같은 색깔 옷을 입은 사람끼리 모이세요.

· 생일이 빠른 순서대로 줄을 서세요.

· 형제자매 수가 같은 사람끼리 모이세요.

— 하나님은 우리를 정말 다양한 모습으로 지으셨지만 또 이렇게 많은 공통점을 주셨어요. 참 재미있지요? 오늘 성경 이야기는 하나님이 그리스도인을 다르게, 그러면서도 같게 지으신 일에 관한 이야기예요.

교사를 위한 기록장 이 과를 준비하면서 깨닫게 된 묵상을 정리해 보세요.

· 하나님이나 나에 대해 새롭게 알게 된 것은?

· 기억해야 할 하나님의 말씀은?

· 아이들에게 전하고 싶은 메시지는?

가스펠 **설교**
(15~30분)

들어가기

준비물 작업용 앞치마, 보안경, 책상, 도구(비커, 온도계, 가위, 드라이버 등), **전구, 성경**

작업용 앞치마를 두르고, 보안경을 착용하고 들어온다. 무엇을 찾는 듯 책상 위에 늘어놓은 도구들을 살펴보다가 전구를 집어 들고 아이들에게 말을 건넨다.

여러분, 안녕하세요! 다시 만나서 반갑습니다. 저는 인도자 이름 박사고요, 발명가이자 병아리 신학자랍니다. 여러분에게 보여 줄 것이 있어요. 전구를 들어 올린다. 이것은 전구예요. 혹시 누가 전구를 발명했는지 아는 사람 있나요? 아이들의 대답을 기다린다. 이 작은 발명품은 약 140년 전에 토머스 에디슨이라는 사람이 만들었어요! 전구가 발명되기 전까지 정말 오랜 시간 동안 사람들은 집이나 회사에서 전구 없이 살았어요. 전구가 등장하면서 사람들의 삶은 많이 달라졌어요. 전구 덕분에 해가 진 후에도 일할 수 있게 되었지요. 밤늦은 시간이나 이른 아침에도 책을 읽을 수 있게 되었고요. 집에 전기가 들어오면서 토스터나 진공청소기, 전자레인지 등 발명품이 생겨났어요. 하나의 발명으로부터 사람들의 삶이 완전히 바뀐 거예요.

오늘 하나님의 거룩한 말씀에 나오는 이야기를 들려줄 수 있어서 영광이에요. 성경을 들어 올린다. 시편 119편 105절은 "주의 말씀은 내 발에 등이요 내 길에 빛이니이다"라고 말해요. 성경에 나오는 말씀은 모두 맞는 말이에요! 모두 성경 이야기를 들을 준비 되었나요?

연대표

많은 사람이 성경은 수많은 규칙을 담은 책이라고 생각해요. 성경에 우리가 어떻게 살아야 할지에 대한 지침이 있긴 하지만, 그렇다고 성경이 단순한 지침서는 아니에요. 성경은 하나님이 하나님의 아들 예수님을 통해 죄인들을 구원하시는 하나의 아름다운 이야기예요.

신약성경에는 초대교회 성도들에게 보내는 바울의 편지가 많아요. 바울은 사람들에게 예수님이 우리를 위해 하신 일을 다시 생각하게 해 주었어요. 복음을 믿을 때 우리의 모든 것이 변해요. 오늘 성경 이야기는 예수님을 믿고 의지할 때 사람들에게 나타나는 변화에 관한 이야기예요. 함께 좀 더 자세히 알아보기로 해요.

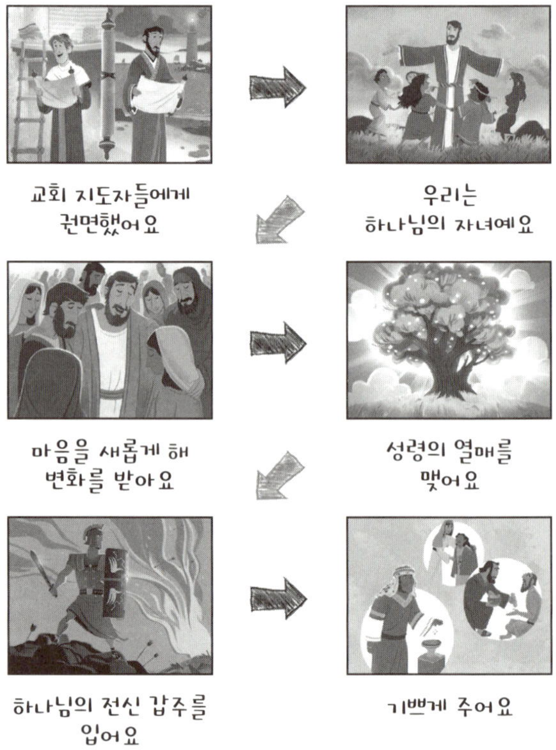

성경의 초점

누가 우리를 거룩하게 변화시키시나요? 저는 우리가 변화되어서 참 다행이라고 말하고 싶어요. 예수님을 믿기 전에 우리는 죄인이었고, 하나님에게서 멀리 떨어져 있었어요. 지금도 여전히 죄를 짓긴 하지만, 죄는 예전처럼 우리를 완전히 다스리지 못하지요. 우리가 변화되고 있는 거예요! 2단원 '성경의 초점'을 함께 외쳐 볼까요? **누가 우리를 거룩하게 변화시키시나요? 성령님이 하나님의 영광을 위해 우리가 예수님을 닮아 가도록 변화시키세요.**

성경 이야기

DVD 로마서 12장, 고린도전서 1장, 빌립보서 1장을 펴고, 설교 영상(지도자용 팩)을 보여 주거나 이야기 성경을 들려준다. 물을 담아 놓은 용기에 식용 색소 3방울 정도를 떨어뜨린 후 물의 색이 어떻게 변했는지 물어본다. 그런 후 '변화'에 대해 설명해 준다. 또는 "기뻐하는 사람이 있으면 함께 기뻐하고, 슬퍼하는 사람이 있으면 함께 슬퍼하십시오. 가능하면 모든 사람과 사이좋게 지내십시오"를 말하는 부분에서 아이들에게 해당하는 표정을 지어 보라고 한다.

오늘 성경 이야기와 그동안 우리가 들은 다른 이야기들을 보면 복음이 우리를 변화시킨다는 것을 알 수 있어요. 먼저, 복음은 우리의 마음과 생각을 변화시켜요. 죄에서 돌이켜 예수님을 바라보게 되지요. 자신을 가장 중요하게 여기는 대신 예수님을 가장 중요하게 여기게 되어요. 그리고 죄를 짓고 싶어 하는 마음이 하나님께 순종하고 싶은 마음으로 바뀌어요. 다음으로, 복음은 우리 삶의 방식을 변화시켜요. 삶의 변화는 하나님께 순종하기 위해 더 열심히 노력한다고 일어나지 않아요. **누가 우리를 거룩하게 변화시키시나요? 성령님이 하나님의 영광을 위해 우리가 예수님을 닮아 가도록 변화시키세요.** 이런 변화는 하나님을 기쁘시게 하고 하나님께 영광이 되어요.

가스펠 링크

복음은 우리 마음과 생각을 변화시키고, 그 결과 우리 삶의 모습을 변화시켜요. **하나님은 우리가 서로 아끼고 사랑하며 교제하기를 바라세요.** 그리스도인은 모두 예수님에게 속해 있어요. 예수님의 죽음과 부활로 우리는 하나가 되었어요. 그리고 성령님은 우리의 생각과 삶을 변화시키세요. 하나님이 우리를 사랑하시듯이 우리도 서로 사랑할 수 있어요.

DVD

복음 초청

성경과 21쪽 복음 초청 가이드를 이용해서 아이들에게 그리스도인이 되는 법을 설명해 준다. 따로 상담해 줄 사람을 정해 주고 궁금한 점이 있으면 물어보도록 격려한다.

이 시간 예수님을 마음에 모시고 싶은 친구는 함께 기도해요.

기도

하나님, 죄인들을 구하기 위해 예수님을 보내 주셔서 감사합니다. 예수님을 믿고 의지할 때 하나님은 우리를 살리시고 마음과 생각을 변화시켜 하나님을 위해 살게 해 주십니다. 우리가 서로 아끼고 사랑하도록 도와주세요. 우리 자신을 위해 살게 만드는 죄와 싸워 이길 수 있도록 힘을 주세요. 하나님을 더욱 사랑하고, 하나님께 영광 돌리는 삶을 살도록 인도해 주세요. 예수님의 이름으로 기도합니다. 아멘.

적용

TIP 설교 도입이나 적용으로 활용하거나 영상을 본 뒤 소그룹으로 나누어 풍성한 대화를 이어 갈 수 있습니다.

새로운 피조물이 되는 것에 관해 생각하다 보면, 그런 일이 어떻게 일어나는지 궁금해질 거예요. 과연 우리 자신의 힘만으로 그런 변화를 일으킬 수 있을까요? 오늘의 영상을 보며 함께 생각해 보아요.

DVD 적용 예화 영상(지도자용 팩)을 보여 준 후, 다음의 질문으로 이야기를 나눈다.

1. 아이는 하룻밤 사이에 자기 키를 자라게 할 수 있을까요?
2. 자신의 키를 얼마나 자라게 할지 그 결정권이 아이에게 있나요?
3. 그리스도인은 어떻게 성장하나요? 우리의 노력으로 변화될 수 있을까요?

TIP 아이들에게 복음으로 인해 변화되는 것이 얼마나 중요한지 강조한다. 우리는 자신의 노력으로 하나님을 기쁘시게 할 수 없으며, 그렇게 하는 것을 하나님이 바라지도 않으신다는 점을 알려 준다.

성경은 그리스도인이 어떻게 살아야 하는지 알려 주어요. **하나님은 우리가 서로 아끼고 사랑하며 교제하기를 바라세요.** 이렇게 사는 것은 쉬운 일이 아니에요. 사실 하나님이 원하시는 모습으로 사는 것은 아주 힘들 수도 있어요!

우리는 여전히 죄와 싸워요. 다행인 것은 그 싸움을 우리 혼자 싸우는 것이 아니라는 점이에요. 우리의 노력으로는 하나님을 기쁘시게 할 수 없지만, 하나님이 보내신 성령님이 우리를 바꾸어 주세요. 성령님의 인도하심 안에서 우리는 성경을 읽고, 기도하고, 다른 그리스도인들과 함께 시간을 보낼 수 있어요. 성령님은 우리의 감정과 생각과 행동을 변화시키세요.

가스펠 소그룹
(10~20분)

나침반

다음은 너!

준비물 **2단원 암송**(111쪽)

① 아이들을 둥그렇게 앉히고, 2단원 암송 구절을 큰 소리로 함께 읽는다.

② 인도자가 한 아이를 지목하며 "시작!"이라고 말하면, 지목된 아이는 암송 구절의 첫 어절을 말한 뒤 다른 아이를 지목하게 한다.

③ 정해진 시간 안에서 지목해서 암송 구절 말하기를 반복한다.

— 하나님의 말씀을 외우는 것은 우리 생각이 변화되는 방법 중 하나예요. 모든 그리스도인은 새로운 피조물이에요! **누가 우리를 거룩하게 변화시키시나요? 성령님이 하나님의 영광을 위해 우리가 예수님을 닮아 가도록 변화시키세요.**

보물 지도

성경을 알자!

준비물 **성경**

① 아이들에게 성경을 나누어 주고 로마서 12장을 펴게 한다.

— 로마서는 바울이 로마에 있는 성도들에게 쓴 편지예요. 바울은 그리스도인의 삶은 예수님을 믿지 않는 사람과 달라야 한다고 말했어요. 이는 오늘날의 그리스도인에게도 적용되는 말이에요.

② 아이들에게 로마서 12장 1절부터 18절까지 돌아가면서 한 절씩 읽으라고 한다. 어렵거나 모르는 단어가 있는지 물어보고 설명해 준다.

③ 다음의 질문으로 이야기를 나눈다.

- 산 제물이 된다는 것은 무슨 의미일까요? (롬 12:1 참고)
- **누가 우리를 거룩하게 변화시키시나요?**

  성령님이 하나님의 영광을 위해 우리가 예수님을 닮아 가도록 변화시키세요.
- 하나님은 왜 그리스도인들에게 각기 다른 선물(은사)을 주실까요?

— 예수님을 믿으면 하나님은 우리를 하나님의 자녀로 삼으세요. 그래서 그리스도인들은 모두 예수님 안에서 한 가족이 되지요. **하나님은 우리가 서로 아끼고 사랑하며 교제하기를 바라세요.** 우리는 하나님이 주시는 은사에 따라 서로 힘을 합쳐 온 세상에 예수님을 전하는 임무를 완수할 수 있어요.

탐험하기

달라졌어요!

준비물 **학생용 교재 28쪽, 연필**

① 각 그림을 보고 단어 끝말잇기를 해 보라고 한다.

② 죽음이 무엇으로 바뀌었는지 말해 보게 한다.

— '변화되다'라는 말은 무슨 뜻일까요? 아이들의 대답을 기다린다. 변화는 사물의 성질, 모양, 상태가 바뀌어 달라진다는 의미예요. 우리가 예수님을 믿고 이전과 다른 행동을 보인다면 누군가 우리에게 이전과 매우 달라졌다고 말할 거예요. 실제로 죄인이었던 우리는 예수님을 믿고 변화되었지요. **누가 우리를 거룩하게 변화시키시나요? 성령님이 하나님의 영광을 위해 우리가 예수님을 닮아 가도록 변화시키세요.**

가스펠 프로젝트

준비물 **학생용 교재 29쪽, 47쪽 말, 49쪽 '게임 카드', 연필, 성경**

① 연대표의 빈칸에 '가스펠 프로젝트'(하나님의 구원 계획)의 제목을 쓰게 한다.

② 아이들에게 47쪽의 말과 49쪽의 '게임 카드'를 오리라고 한다.

③ 2명씩 짝을 짓고, 카드를 모아 뒤집어 놓으라고 한다.

④ 주사위를 굴려 나온 숫자만큼 말을 움직이고, ✚이 있는 칸에 도착하면 카드를 한장 골라 지시를 따르라고 한다.

⑤ 질문에 답을 하지 못하면 말을 이동하지 못한다. 먼저 '다시 오실 그리스도'에 도착한 아이가 이긴다.

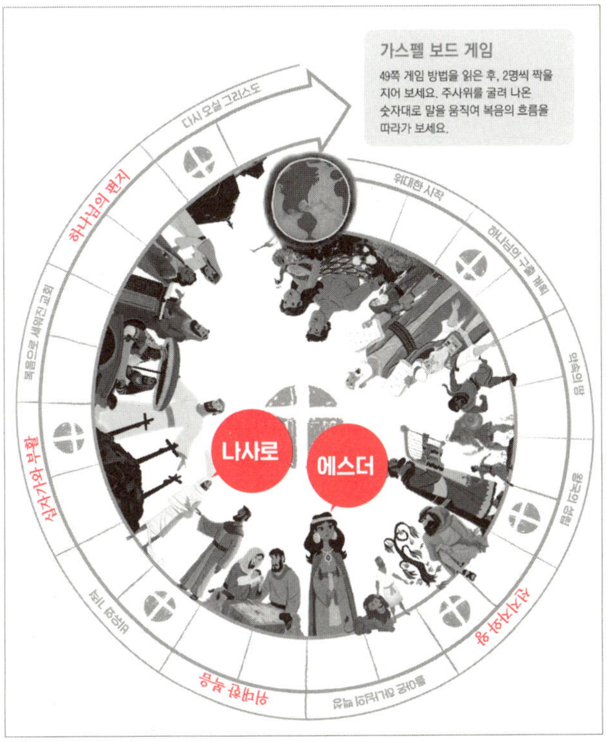

— **하나님은 우리가 서로 아끼고 사랑하며 교제하기를 바라세요.** 하나님은 우리에게 각각 다른 선물을 주셨어요. 예언, 가르침, 섬김, 위로의 능력을 선물로 주셨지요(롬 12:6~8 참조). 우리는 서로 다르지만 하나가 되어 공동체를 이루어 가요. 내가 갖지 못한 것을 다른 친구가 가졌다고 슬퍼할 필요가 없어요. 우리는 모두 예수님 안에서 한 몸이기 때문이에요. 또한, 하나님은 계속해서 우리를 변화시키세요. **성령님이 하나님의 영광을 위해 우리가 예수님을 닮아 가도록 변화시키세요.**

청기 올려! 백기 올려! *

준비물 **청기, 백기**

① 아이 2명을 뽑아 '하나님'과 '사람' 역할을 맡긴다.

② '하나님'과 '사람' 역할을 맡은 아이에게 깃발을 올리고 내리는 것을 지시하게 한다.

③ 나머지 아이들에게 청기와 백기를 하나씩 나누어 준다.

④ '하나님'과 '사람'이 지시를 할 때, 아이들은 '하나님'의 지시에 따라 깃발을 들고 내려야 한다고 말해 준다.

⑤ '사람'의 지시에 따라 움직이면 탈락한다고 일러 준다.

⑥ 마지막 한 명이 남을 때까지 놀이를 계속한다.

— 예수님을 따르려면 하나님의 말씀을 따라야 해요. **하나님은 우리가 서로 아끼고 사랑하며 교제하기를 바라세요.** 우리는 우리 자신을 가장 중요한 사람이라고 생각하는 대신 예수님을 가장 중요한 분이라고 생각하고 믿지요.

보물 상자

나만의 기록장

준비물 **학생용 교재 30쪽, 연필**

아이들에게 다음 질문에 대해 생각하고 글로 써 보라고 한다.

이 성경 이야기가 말하고 있는…

· 하나님이나 복음에 관한 사실은?

· 나에 관한 사실은?

· 순종해야 할 하나님의 말씀은? 그 말씀은 어떻게 하나님께 영광이 되고, 나에게는 유익이 될까요?

· 기억해야 할 하나님의 약속은? 그 약속은 내가 하나님을 믿고 사랑하는 데 어떤 도움이 되나요?

메시지 카드

이번 주 메시지 카드로 부모님과 함께 오늘 배운 성경 이야기를 나누어 보라고 한다.

기도

하나님, 우리를 사랑하셔서 예수님을 보내 주시고, 성령님의 능력으로 예수님을 닮아 가게 해 주셔서 감사합니다. 하나님은 우리가 서로 아끼고 사랑하며 교제하기를 바라신다는 것을 배웠습니다. 언제 어디서나 하나님의 말씀에 순종하며 살아가도록 인도해 주세요. 예수님의 이름으로 기도합니다. 아멘.

8

성령의 열매를 맺어요

갈 5:16~26

단원 암송

그런즉 누구든지 그리스도 안에 있으면
새로운 피조물이라 이전 것은 지나갔으니
보라 새것이 되었도다(고후 5:17).

성경의 초점

누가 우리를 거룩하게 변화시키시나요?
성령님이 하나님의 영광을 위해 우리가
예수님을 닮아 가도록 변화시키세요.

본문 속으로

예수님을 믿을 때 우리는 하나님의 자녀가 되고 복음은 우리를 변화시킵니다. 생각이 바뀌면 하나님이 무엇을 기뻐하시는지, 하나님의 뜻이 무엇인지 알게 됩니다. 그러나 복음으로 인한 변화는 그 정도에 머물지 않습니다. 복음은 우리의 삶을 변화시킵니다.

바울은 갈라디아 성도들에게 보내는 편지에서 육체의 열매를 묘사했습니다. 그것은 그리스도를 떠난 사람의 모습을 말합니다. 분노, 시기, 이기심, 부도덕, 분쟁과 같은 것들입니다. 바울은 이렇게 사는 사람은 하나님 나라에 들어가지 못한다고 말했습니다. 이런 행동을 보면 그 사람의 마음이 어떤 상태인지 알 수 있습니다. 이런 행동들은 죄가 가득한 마음에 맺히는 열매입니다.

그런 다음 바울은 갈라디아 성도들에게 하나님이 사람들의 삶 속에서 일하시는 것을 알아보는 방법을 알려 줍니다. 그는 육체의 열매와 성령의 열매를 대조해 설명합니다. 성령의 열매는 그리스도 안에 있는 사람의 모습입니다. 사랑, 희락, 화평, 오래 참음, 자비, 양선, 충성, 온유, 절제가 바로 그것들입니다. 이런 열매들은 그리스도로 인해 마음이 변화된 사람에게 맺힙니다.

● ● 티칭 포인트

성령의 열매들은 우리 안에서 일하시는 성령님이 맺으시는 것이라고 아이들에게 설명해 주십시오. 그래서 '그리스도인의 열매'가 아니라 '성령의 열매'라고 부른다고 말해 주십시오. 성령의 열매에 대한 우리의 응답은 더 사랑하고 기뻐하고 평화롭게 지내고 친절을 베풀 방법을 찾아내는 것이 아닙니다. 그것은 이런 열매들을 우리 스스로 맺을 수 있다고 잘못 생각하는 것입니다! 예수님을 믿을 때 성령님이 우리를 변화시키기 시작하십니다. 우리는 성령님이 우리를 더 사랑하고 기뻐하며 온유하고 친절한 사람으로 변화시키시도록 응답해야 합니다. 구원받은 사람은 점점 더 예수님을 닮아 갑니다. 그리고 성령님은 우리가 죄를 거부하고 하나님이 기뻐하시는 모습으로 살아갈 수 있도록 능력을 주십니다. 성령의 열매는 복음으로 인한 진정한 변화를 보여 줍니다.

주 제

성령님은 우리가 예수님을 닮아 가도록 우리의 생각과 행동을 변화시키세요.

가스펠 링크

바울은 갈라디아 성도들에게 성령님의 인도하심을 따르면 죄를 거부하고 하나님이 기뻐하시는 삶을 사는 성령의 열매를 맺게 된다고 알려 주었어요.

성령의 열매를 맺어요 갈 5:16~26

바울이 갈라디아에 있는 성도들에게 편지를 썼어요. 갈라디아는 로마 제국에 속한 지역으로, 그곳 성도들은 대부분 유대인이 아닌 이방인이었어요. 바울은 하나님이 예수님을 믿는 사람들을 변화시키신다고 말했어요. 하나님은 그들에게 성령님을 주세요. 성령님은 그리스도인을 옳은 길로 인도하시고 예수님을 닮아 갈 능력을 주시지요. 바울은 편지에서 성령님이 우리의 생각과 행동을 바꾸신다고 말했어요. 성령님이 우리를 이끄시면 우리가 하나님의 뜻대로 살게 될 것이라는 사실을 그들이 알기를 바랐어요.

죄의 다스림을 받는 사람은 그릇된 길로 가요. 미움, 시기, 분노, 이기심, 욕심이 생기지요. 서로 다투고 문제에 휩싸이게 되어요. 이렇게 사는 사람은 하나님 나라에 들어가지 못해요. 그러나 예수님은 우리를 죄의 권세에서 풀어 주셨어요. 또 성령님은 우리 안에 계시면서 옳은 일을 할 수 있는 능력을 주세요. 성령님이 다스리는 사람은 사랑, 희락(기쁨), 화평, 오래 참음, 자비(친절), 양선(선함), 충성(신실), 온유, 절제를 선택해요. 이런 행동은 성령의 열매예요. 성령님이 그 사람 안에 계신다는 증거이지요. 건강한 나무가 좋은 열매를 맺는 것처럼 말이에요.

바울은 예수님을 믿는 사람은 더는 자신의 기쁨을 위해 살지 않는다고 말했어요. 성령님은 우리에게 미움, 시기, 분노, 이기심, 욕심 같은 것들을 거부할 능력을 주세요. 예수님을 알면 알수록 우리는 점점 더 기쁨, 친절, 절제 같은 행동을 선택하게 되지요. 하나님이 기뻐하시는 삶을 살고 싶어지는 거예요. 우리 안에 계시는 성령님이 우리를 인도하세요.

●● 가스펠 링크

예수님을 믿고 의지할 때 성령님은 우리를 변화시키세요. 바울은 갈라디아 성도들에게 성령님의 인도하심을 따르면 죄를 거부하고 하나님이 기뻐하시는 삶을 사는 성령의 열매를 맺게 된다고 알려 주었어요. 예수님을 믿고 구원받은 사람은 점점 예수님을 닮아 가요. 그리고 성령님은 죄를 거부하고 하나님이 기뻐하시는 삶을 살 수 있는 능력을 주세요.

가스펠 준비
(10~20분)

환영

도착하는 아이들을 반갑게 맞이하고 헌금, 출석, QT 등을 확인하며 격려한다. 새 친구가 있다면 소개한다. 편안한 분위기에서 안부를 물으며 오늘의 말씀과 관련된 화제로 이야기를 나눈다. 아이들에게 그리스도인이라는 말을 들으면 어떤 생각이 드는지 물어본다. 자발적으로 대화에 참여하도록 이끈다.

예) "그리스도인이라는 말을 들으면 어떤 생각이 드나요?", "그리스도인이란 누구를 가리키나요?" 등.

— 여러분은 자신이 그리스도인이라는 것을 어떻게 아나요? 오늘은 이 질문의 답을 찾는 데 도움이 되는 성경 이야기를 들어볼 거예요.

마음 열기

스무고개 *

준비물 색인 카드, 사인펜

① 색인 카드에 '사람-○○전도사님', '장소-교회', '물건-성경'이라고 각각 적어 둔다.

② 아이들에게 '사람', '장소', '물건' 중 하나를 선택하게 한 후 스무고개를 시작한다.

③ 아이들이 질문하면, 인도자는 '예', '아니오'로만 답할 수 있다고 말해 준다.

④ 질문은 20개까지 할 수 있다고 일러 준다.

— 어떤 사람이 그리스도인인지 알고 싶다면 어떤 질문을 해야 할까요? 아이들의 대답을 기다린다. 좋은 질문이에요! 오늘 성경 이야기는 하나님이 우리 안에서 일하고 계시는 것을 알 수 있는 한 가지 방법에 관한 이야기예요.

과일나무 관찰하기 *

준비물 과일나무 사진 여러 장

① 인터넷에서 과일나무 사진들을 찾아서 출력해 둔다.

② 아이들에게 식물이 살아있다는 것을 어떻게 알 수 있는지 물어본다.

③ 식물의 종류를 알고 싶으면 어떤 부분을 살펴보아야 하는지 물어본다.

TIP 아이들이 직접 찾아볼 수 있도록 휴대용 식물도감이나 화초 도감을 준비하거나, 밖으로 나가 직접 나무를 보게 해도 좋다.

— 어떤 식물인지 알아보는 한 가지 방법은 식물의 열매를 보는 거예요. 예를 들어, 어떤 식물에 사과가 열렸으면 그것은 사과나무라는 사실을 알 수 있지요. 그리스도인도 열매를 맺는다는 것을 알고 있나요? 이것은 우리가 먹을 수 있는 그런 열매가 아니에요. 이 열매는 하나님이 사람들 삶 속에서 일하고 계신다는 증거예요. 좀 더 자세히 알아보기로 해요.

교사를 위한 기록장 이 과를 준비하면서 깨닫게 된 묵상을 정리해 보세요.

· 하나님이나 나에 대해 새롭게 알게 된 것은?

· 기억해야 할 하나님의 말씀은?

· 아이들에게 전하고 싶은 메시지는?

가스펠 **설교**
(15~30분)

들어가기

준비물 작업용 앞치마, 보안경, 책상, 도구(비커, 온도계, 가위, 드라이버 등), **책 여러 권, 성경**

작업용 앞치마를 두르고, 보안경을 착용하고 들어온다. 무엇을 찾는 듯 책상 위에 늘어놓은 도구들을 살펴보다가 책을 몇 권 집어 들고 아이들에게 말을 건넨다.

여러분, 안녕하세요! 만나서 반갑습니다. 제 연구실에 오신 것을 환영해요! 저는 인도자 이름 박사고요, 발명가이자 병아리 신학자랍니다. 새로운 것을 만들기 좋아하고, 성경을 공부하며 하나님에 관해 배우는 것을 좋아하지요.

여러분에게 보여 줄 것이 있어요. 책을 들어 올린다. 책을 어떻게 만드는지 아나요? 제 말은 종이 위에 연필로 글을 직접 쓰는 것을 상상해 보라는 거예요. 만약 10명의 사람이 책을 읽고 싶어 한다면 여러분은 그 책을 10번 써야겠지요? 그러면 시간이 어마어마하게 걸릴 거예요!

다행히 1440년경에 인쇄 기술이 발명된 이후로는 그럴 필요가 없어졌어요. 이 발명으로 책을 대량으로 만들어 낼 수 있게 되었고, 그 결과 성경을 포함한 지식을 담은 책들이 빠르게 널리 전파되었지요.

오늘 여러분에게 하나님의 거룩한 말씀에 담긴 이야기를 들려줄 수 있어서 영광이에요. 성경을 들어 올린다. 모든 성경은 하나님의 감동으로 된 것으로, 교훈과 책망과 바르게 함과 의로 교육하기에 유익해요(딤후 3:16 참조). 성경에 나오는 이야기는 모두 사실이에요! 모두 성경 이야기를 들을 준비 되었나요?

연대표

연대표를 가리키며 성경의 모든 이야기가 모이면 하나님이 하나님의 아들 예수님을 통해 죄인들을 구원하시는 하나의 큰 이야기가 된다는 사실을 꼭 기억하세요. 우리가 그동안 배운 신약성경의 편지들은 초대교회 성도들을 위해 쓴 것이에요. 예수님이 우리를 위해 하신 일을 다시 한번 기억하게 하고, 복음이 우리의 삶을 어떻게 변화시키는지 설명하기 위해 쓰였지요.

처음에는 **하나님은 예수님을 믿는 우리를 하나님의 자녀로 삼으신다**는 것을 배웠어요. 그다음에는 하나님이 우리를 완전히 변화시키신다는 것을 배웠지요. 하나님은 우리와 하나님과의 관계는 물론, 다른 사람과의 관계도 바꾸어 주세요. **하나님은 우리가 서로 아끼고 사랑하며 교제하기를 바라세요.**

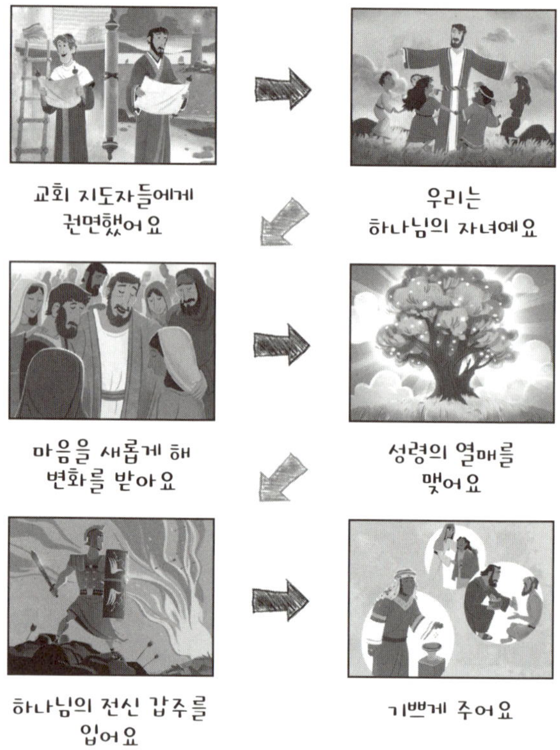

연대표에서 오늘의 성경 이야기를 가리킨다. 오늘 성경 이야기의 제목은 "성령의 열매를 맺어요"예요. 사과나 바나나 같은 열매를 말하는 것이 아니에요. 이 성경 이야기에는 "성령님의 증거" 또는 "하나님이 우리를 변화시키시는 것을 아는 방법"이라고 제목을 붙여도 좋아요. 함께 성경 이야기를 들어 보아요.

성경의 초점

2단원 '성경의 초점' 질문과 답을 함께 말해 볼까요? **누가 우리를 거룩하게 변화시키시나요? 성령님이 하나님의 영광을 위해 우리가 예수님을 닮아 가도록 변화시키세요.** 예수님을 닮아 가는 이 변화를 '성화'라고 불러요. 성화는 평생 일어나요. 어느 날 잠에서 깨어 보니 갑자기 완전하게 변해 있는 것이 아니에요. 우리의 생각과 행동에서 하나님이 우리 삶 속에서 일하고 계신다는 사실을 보여 주는 작은 단서들을 발견하게 될 거예요. 잠시 후에 좀 더 자세히 알아보기로 해요.

성경 이야기

갈라디아서 5장을 펴고, 설교 영상(지도자용 팩)을 보여 주거나 이야기 성경을 들려준다. 화이트보드에 나무와 열매, 바닥에 떨어져 있는 열매를 그려 놓는다. 나무 위에 있는 열매에는 '성령의 열매'를 적고, 바닥에 떨어져 있는 열매에는 '육체의 일(음행, 정욕, 탐심, 욕심 등)'을 써 놓는다. 성경 이야기를 하다가 성령의 열매가 나오면 해당 단어를 가리킨다.

우와! 그러니까 그리스도인이 되면 성령님은 우리가 예수님을 닮아 가도록 우리의 생각과 행동을 변화시키신다는 말이군요. 그런데 한 가지 질문이 있어요. 그런 변화는 하룻밤 만에 일어날까요? 어느 날 일어나 보니 갑자기 완전한 사랑을 하게 되고, 한없는 인내심이 생기고, 어떤 일이 일어나도 마음이 평안하고, 모든 사람에게 친절을 베풀게 되는 것일까요? 아니에요! 이 변화는 갑자기 생기는 것도, 우리가 만드는 것도 아니에요. 성령님이 우리 안에서 일하시면서 우리가 예수님을 닮아 가도록 만드시는 거예요. 이 과정을 '성화'라고 해요.

우리는 이 세상을 떠나는 날까지도 완전해지지 못해요. 하지만 기도하고, 성경 읽고, 예배하며 점점 더 많은 시간을 하나님과 보내면 점점 더 예수님을 닮아 가게 될 거예요.

성령님이 우리 삶에서 일하시는 것을 알 수 있는 방법이 있어요. 성경 말씀처럼 예수님을 진심으로 따름으로써 사랑, 희락(기쁨), 화평, 오래 참음, 자비(친절), 양선(선함), 충성(신실), 온유, 절제의 모습이 드러나는 거예요. 바울은 갈라디아 성도들에게 하나님이 사람들의 삶 속에서 일하시는 것을 알아보는 방법을 알려 주었어요.

가스펠 링크

그리스도인에게는 사랑, 희락, 화평, 오래 참음, 자비, 양선, 충성, 온유, 절제 같은 성품이 나타나요. 예수님을 믿고 의지할 때 성령님은 우리를 변화시키세요. 바울은 갈라디아 성도들에게 성령님의 인도하심을 따르면 죄를 거부하고 하나님이 기뻐하시는 삶을 사는 성령의 열매를 맺게 된다고 알려 주었어요. 예수님을 믿고 구원받은 사람은 점점 예수님을 닮아 가요. 그리고 성령님은 죄를 거부하고 하나님이 기뻐하시는 삶을 살 수 있는 능력을 주세요.

복음 초청

성경과 21쪽 복음 초청 가이드를 이용해서 아이들에게 그리스도인이 되는 법을 설명해 준다. 따로 상담해 줄 사람을 정해 주고 궁금한 점이 있으면 물어보도록 격려한다.

이 시간 예수님을 마음에 모시고 싶은 친구는 함께 기도해요.

기도

하나님, 우리의 경배와 찬양을 받으실 분은 오직 하나님뿐입니다. 예수님을 보내 죄로 인해 죽을 수밖에 없는 우리를 구원해 주셔서 감사합니다. 그리고 성령님을 통해 언제나 우리와 함께하시고 인도해 주셔서 감사합니다. 우리의 삶에 아름다운 성령의 열매들이 맺히도록 우리를 변화시켜 주시고 다듬어 주세요. 예수님의 이름으로 기도합니다. 아멘.

적용

TIP 설교 도입이나 적용으로 활용하거나 영상을 본 뒤 소그룹으로 나누어 풍성한 대화를 이어 갈 수 있습니다.

지금 눈앞에 태어나서 처음 보는 물건이 있다고 생각해 보세요. 그것이 무엇인지 어떻게 알아낼 수 있을까요? 오늘의 영상을 보며 함께 생각해 보아요.

적용 예화 영상(지도자용 팩)을 보여 준 후, 다음의 질문으로 이야기를 나눈다.

1 각각의 물건이 무엇인지 어떻게 알 수 있었나요? (소리, 형태, 질감)

2 성령으로 충만한 사람에게는 어떤 증거가 보이나요?

성령님이 우리 삶을 다스리실 때, 사랑, 희락, 화평, 오래 참음, 자비, 양선, 충성, 온유, 절제를 선택하게 되어요. 이런 것들을 선택하는 일이 늘 쉬운 것은 아니에요. 특히 심술이 나거나 피곤할 때는 더욱더 힘들지요. 하나님은 우리가 성령님의 인도하심을 따라 점점 더 예수님을 닮아 가기를 바라세요. 성령의 열매는 하나님이 우리 삶 속에서 일하시는 것을 보여 주는 증거예요.

가스펠 **소그룹**
(10~20분)

나침반

둥글게, 둥글게

준비물 **2단원 암송**(111쪽)

① 아이들을 둥그렇게 앉히고, 2단원 암송 구절을 아이들과 함께 큰 소리로 읽는다.

② 한 아이에게 암송 구절의 첫 어절을 말한 뒤, 양옆에 있는 아이 중 한 명을 지목하게 한다.

③ 지목된 아이는 다음 어절을 말한 뒤, 양쪽에 있는 아이 중 한 명을 지목하라고 한다. 이때 바로 이전에 지목된 아이가 반복해서 지목될 수도 있다고 말해 준다. 정해진 시간 안에서 놀이를 반복한다.

— 그리스도 안에 있는 사람은 누구나 새로운 피조물이에요! 예수님을 믿으면 새롭게 변화되어요! 오늘 성경 이야기를 통해 성령의 열매는 우리가 새로운 피조물이 되었다는 것을 보여 주는 증거라는 사실을 알게 되었어요.

보물 지도

빨래집게 구별하기

준비물 **성경, 빨래집게, 사인펜, 바구니, 종이 2장, 접착테이프**

① 빨래집게에 다음 단어들을 각각 적은 후 바구니에 넣어 둔다.

· 우상 숭배, 미움, 시기, 분노, 이기심, 폭력 : 나의 방법

· 사랑, 희락(기쁨), 화평, 오래 참음, 자비(친절), 양선(선함), 충성(신실), 온유, 절제 : 하나님의 방법

② 종이에 '나의 방법'과 '하나님의 방법'이라고 각각 적어 예배실 벽에 붙인다.

③ 아이들에게 성경에서 갈라디아서 5장을 찾으라고 한다.

④ 한 명씩 바구니에서 빨래집게를 하나씩 뽑아 적힌 단어를 읽고, 그 단어의 의미를 설명하게 한다.

⑤ 설명이 끝나면, 그 단어가 '나의 방법'인지 '하나님의 방법'인지 해당하는 종이에 집어 두라고 한다.

— 예수님을 믿을 때 **성령님은 우리가 예수님을 닮아 가도록 우리의 생각과 행동을 변화시키세요.** 바울은 갈라디아 성도들에게 하나님이 사람들의 삶 속에서 일하시는 것을 성령의 열매를 통해서 알아볼 수 있다고 말했어요. 성령님은 그리스도인들이 죄를 거부하고 하나님이 기뻐하시는 삶을 살 수 있는 힘을 주세요.

탐험하기

성령의 열매

준비물 **학생용 교재 32쪽, 연필, 성경**

각 뜻에 맞는 단어를 빈칸에 넣어 퍼즐을 완성하게 한다.

가로

1 희락 기뻐함과 즐거워함.
2 양선 어질고 착함.
3 절제 정도에 넘지 않도록 알맞게 조절하여 제한함.
4 충성 진리에 근거한 믿음을 신실하게 따름.
5 사랑 몹시 아끼고 귀중히 여기는 마음 또는 그런 일.

세로

6 화평 화목하고 평온함.
7 오래참음 괴로움이나 어려움을 참고 견딤.
8 자비 남을 깊이 사랑하고 가엾게 여김.
9 온유 성격, 태도 따위가 온화하고 부드러움.

— 성령의 열매는 어떤 것들이 있나요? 사랑, 희락(기쁨), 화평, 오래 참음, 자비(친절), 양선(선함), 충성(신실), 온유, 절제예요. 예수님을 믿으면 성령님이 우리 안에서 성령의 열매를 맺으세요. 날마다 우리 안에 성령의 열매가 맺히도록 하나님께 기도해요.

주렁주렁

준비물 **학생용 교재 33쪽, 연필**

모든 열매와 단어를 지나 미로를 통과한 후 지나간 단어를 순서대로 빈칸에 적어 주제 문장을 완성하게 한다.

— 바울은 '성령의 열매'라는 말을 썼어요. 성령의 열매는 매끄럽거나 솜털이 있거나 씨가 있는 그런 열매가 아니에요! 만약 하나님을 믿는 사람이 나무라면 어떤 열매를 맺을까요? 바로 성령의 열매를 맺어요. 하나님 안에서 예수님을 닮아 가며 성령의 열매를 맺는 우리가 되어요.

성령님은 우리가 **예수님**을 **닮아** 가도록 우리의 **생각**과 **행동**을 **변화**시키세요.

성령의 열매만 *

준비물 **종이컵, 사인펜, 책상**

① 종이컵 안에 9가지 성령의 열매와 좋지 않은 행동이나 말을 각각 써 둔다.

② 책상 위에 종이컵을 올려놓고, 아이들에게 '성령의 열매'만 남기고 나머지는 입으로 바람을 불어 책상 아래로 떨어뜨리라고 한다.

— 우리에게 사랑, 희락, 화평, 오래 참음, 자비, 양선, 충성, 온유, 절제와 같은 모습이 드러난다면 그것은 성령님이 우리 마음과 생각을 변화시키고 계신다는 증거예요. 우리는 사는 동안에 완전해지지는 않을 거예요. 하지만 날마다 예수님을 닮아 가고 세상에 복음을 전하는 삶을 통해 하나님을 높일 수 있어요.

성령의 열매 꼬리표 *

준비물 **성경, 색 도화지, 사인펜, 가위, 코팅지**

① 색 도화지를 가로 2.5 cm, 세로 7.5 cm 길이로 잘라 아이들에게 한 장씩 나누어 준다.

② 아이들에게 성경에서 갈라디아서 5장 22~23절을 찾아 종이에 적으라고 한다.

③ 성경 구절을 적은 종이를 꾸미게 한 후, 코팅지를 붙여 아이들에게 나누어 준다.

④ 아이들에게 성령의 열매 꼬리표를 가지고 다니면서, 자신이나 다른 사람의 삶 속에 성령의 열매가 어떻게 나타나는지 잘 살펴보라고 한다.

— 예수님을 믿기 전에는 모든 사람이 하나님의 원수예요. 하지만 죄를 버리고 예수님을 믿으면 하나님은 우리 죄를 용서하시고 하나님의 가족으로 받아들이시지요. 하나님은 우리를 사랑하시고 돌보시며 변화시키세요. **성령님은 우리가 예수님을 닮아 가도록 우리의 생각과 행동을 변화시키세요.**

보물 상자

나만의 기록장

준비물 **학생용 교재 34쪽, 연필**

아이들에게 다음 질문에 대해 생각하고 글로 써 보라고 한다.

이 성경 이야기가 말하고 있는…

- 하나님이나 복음에 관한 사실은?
- 나에 관한 사실은?
- 순종해야 할 하나님의 말씀은? 그 말씀은 어떻게 하나님께 영광이 되고, 나에게는 유익이 될까요?
- 기억해야 할 하나님의 약속은? 그 약속은 내가 하나님을 믿고 사랑하는 데 어떤 도움이 되나요?

메시지 카드

이번 주 메시지 카드로 부모님과 함께 오늘 배운 성경 이야기를 나누어 보라고 한다.

기도

하나님, 죄인인 우리를 위해 십자가에서 목숨까지 내어 주신 예수님의 사랑을 기억합니다. 우리도 그런 사랑으로 서로를 사랑할 수 있도록 도와주세요. 날마다 예수님을 닮아 가며, 성령의 열매를 맺는 삶을 살게 해 주세요. 예수님의 이름으로 기도합니다. 아멘.

9

하나님의 전신 갑주를 입어요

엡 6:10~19

단원 암송

그런즉 누구든지 그리스도 안에 있으면
새로운 피조물이라 이전 것은 지나갔으니
보라 새것이 되었도다(고후 5:17).

성경의 초점

누가 우리를 거룩하게 변화시키시나요?
성령님이 하나님의 영광을 위해 우리가
예수님을 닮아 가도록 변화시키세요.

본문 속으로

바울은 예수님을 따르는 일이 힘들다는 것을 잘 알았습니다. 다메섹으로 가는 길에 예수님을 만난 후 바울의 인생은 완전히 뒤바뀌었고, 그는 이전과 전혀 다른 사람이 되었습니다. 바울은 회심 전에 그토록 부정하고 저항했던 바로 그 복음을 전파하기 위해 고군분투했습니다. 그는 고난을 겪는 데 남은 생을 바쳤습니다.

에베소 성도들에게 편지를 쓸 당시 바울은 감옥에 있었습니다. 그는 성도의 삶이 전투라는 사실을 몸소 체험한 사람이었습니다. 그것도 현재진행형 전투였습니다. 하지만 바울은 그 전투가 자신을 감옥에 넣은 로마인이나 복음에 반대하는 사람들을 상대하는 것이라고 생각하지 않았습니다. 인생은 악과의 전투입니다.

바울은 편지 말미에서 악과의 영적 전쟁에서 어떤 준비를 해야 하는지를 로마 군인의 갑옷에 빗대어 설명했습니다. 그리스도인은 어디를 가든지 하나님의 진리, 의, 평화를 지녀야 합니다. 마찬가지로 믿음, 구원, 하나님의 말씀을 굳게 붙들어야 합니다. 이러한 하나님의 갑옷으로 완전히 보호를 받는다면 우리는 어떤 전투도 능히 치를 준비가 된 것입니다.

바울은 성도들에게 하나님의 갑옷을 입을 뿐만 아니라 항상 기도할 것을 촉구했습니다. 그는 아무리 하나님의 갑옷을 잘 갖추어 입는다고 해도 우리를 보호하시고 전쟁에서 승리하게 하시는 분은 하나님이심을 믿어야 한다는 것을 알려 주고 싶었습니다.

●● 티칭 포인트

아이들에게 악에 맞서 싸울 수 있도록 하나님이 주신 것이 무엇인지 모두 알려 주십시오. 하나님은 결코 우리 자신의 힘으로 싸우기를 바라지 않으십니다. 하나님의 힘을 의지하기를 바라십니다. 인생은 어려울 수 있고 늘 악에 맞서 싸울 준비를 해야 합니다. 그러나 예수님이 죽음과 부활로 이미 그 전쟁에서 승리하셨기 때문에 우리가 결국 승리할 것임을 아이들에게 설명해 주십시오.

주 제

우리는 하나님의 전신 갑주를 입고 악에 맞서 싸워요.

가스펠 링크

예수님이 전쟁에서 악을 이기셨다는 것을 알기 때문에 우리도 악에 맞서 싸울 수 있어요.

하나님의 전신 갑주를 입어요 엡 6:10~19

"강해지십시오! 하나님은 강한 분이시니 여러분에게 힘을 주실 것입니다." 바울은 에베소 교회에 보내는 편지에서 이렇게 말했어요. 이 편지를 쓸 때 바울은 로마에 있는 감옥에 갇혀 있었어요. 그는 그리스도인의 삶이 쉽지 않다는 것을 몸소 겪어 잘 알고 있었어요. 사실 그리스도인의 삶은 힘겨운 전투와 같아요. 게다가 이 싸움은 사람들을 상대로 하는 것이 아니에요. 악에 맞서 싸우는 영적 전쟁이에요.

바울은 성도들에게 영적 전쟁에 필요한 것을 알려 주었어요. "하나님의 전신 *갑주로 무장하십시오. 그래야만 여러분을 속이려는 사탄에 맞서 싸울 수 있습니다." 바울은 전투 준비의 중요성에 관해 썼어요. 악에 맞서 싸우는 데 필요한 모든 것을 하나님이 주신다고 말했어요. 악은 강하지만, 하나님은 더 강하세요. 우리는 하나님이 주신 전신 갑주를 입어야 해요.

첫째, 진리의 허리띠를 매어요. 하나님은 자신이 어떤 분인지 말씀을 통해 알려 주셨어요. 그래서 우리는 진리가 무엇인지 알아요. 진리는 거짓에 맞서요.

둘째, 의의 호심경(흉배)을 가슴에 붙여요. 예수님을 믿을 때 하나님은 우리를 의롭게 하세요. 의는 옳은 것을 위해 옳은 일을 하는 거예요.

셋째, 복음을 전할 준비를 하듯이 발에는 평안의 복음의 신을 신어요. 하나님이 우리를 위해 하신 일은 참으로 기쁜 소식이에요! 우리는 언제든지 다른 사람에게 복음을 전할 준비가 되어 있어야 해요.

넷째, 믿음의 방패를 가져요. 악한 자의 공격에서 자신을 보호하려면 어디를 가든지 믿음을 가져야 해요. 사탄은 우리가 하나님을 의심하거나 진리가 아닌 것을 믿도록 유혹해요. 하나님은 우리가 하나님을 믿으며 하나님께 순종할 수 있도록 믿음을 주세요.

마지막으로, 구원의 투구와 성령의 검을 가져요. 투구는 머리를 보호해요. 하나님이 우리를 구원하셨다는 사실을 언제나 기억해야 해요. 검은 적을 물리칠 때 필요해요. 하나님의 말씀인 성경은 강력한 검이에요! 성경은 우리에게 진리가 무엇인지 알려 주고, 성령님은 우리가 말씀대로 살 수 있도록 도와주세요.

그러나 전신 갑주를 입었다고 해서 끝난 것이 아니에요. 기도해야 해요. 우리가 기도할 때 하나님은 어떻게 전투를 준비하고 어떻게 하나님을 위해 살아야 하는지 알게 해 주세요. 바울은 "여러 성도를 위해 기도하는 일을 멈추지 마십시오"라고 말했어요. 그는 에베소 성도들이 자신을 위해 기도해 주기를 바랐어요. 예수님에 관한 복음을 두려움 없이 용감하게 전할 수 있도록 하나님이 도와주시도록 말이에요.

*갑주 : 갑옷과 투구를 아울러 이르는 말

●● 가스펠 링크

바울은 그리스도인들에게 날마다 영적 전쟁을 준비해야 한다고 말했어요. 우리는 하나님을 대적하는 자와 권세들과 맞서 싸워요. 하지만 예수님은 십자가에서 죽으시고 다시 살아나셨어요. 악을 이기셨지요. 예수님이 전쟁에서 악을 이기셨다는 것을 알기 때문에 우리도 악에 맞서 싸울 수 있어요.

가스펠 준비
(10~20분)

환영

도착하는 아이들을 반갑게 맞이하고 헌금, 출석, QT 등을 확인하며 격려한다. 새 친구가 있다면 소개한다. 편안한 분위기에서 안부를 물으며 오늘의 말씀과 관련된 화제로 이야기를 나눈다. 아이들에게 위험에 처했을 때 어떻게 헤쳐나갈지 생각해 본 적이 있는지 물어본다. 자신을 보호하기 위해서 가지고 다니는 것이 있는지 물어본다. 자발적으로 대화에 참여하도록 이끈다.

예) "위험에 처했을 때 어떻게 해야 할까요?", "자신을 보호하기 위해 늘 준비해 두는 것이 있나요?" 등.

— 여러 가지 의견을 말해 주어서 고마워요. 혹시 그리스도인의 삶은 전투와 같다는 것을 알고 있나요? 성경은 하나님이 우리에게 하나님의 갑옷을 주신다고 말해요.

마음 열기

어떤 옷차림이 좋을까? *

준비물 **화이트보드, 보드마커, 접착테이프, 다양한 의복 그림**

① 다양한 의복 그림을 출력해 둔다. (야구 모자, 겨울 모자, 정원사용 장갑, 털장갑, 목도리, 선글라스, 스키 고글 등)

② 아이들을 2팀으로 나누고, 화이트보드 앞에 팀별로 줄을 세운다.

③ 인도자가 특정 장소를 말하면, 각 팀에서 한 명씩 나와 장소에 맞는 옷과 액세서리를 골라 화이트보드에 붙여 보라고 한다.

예) 해변, 정원, 북극, 공원, 산 등.

— 오랜만에 인형 놀이를 한 기분이에요. 재미있었지요? 마지막으로 질문 하나 할게요. 전투에 나가려면 어떤 차림이어야 할까요? 아이들의 대답을 기다린다. 맞아요! 갑옷을 입어야 해요. 오늘 성경 이야기에서는 하나님이 우리에게 멋진 갑옷을 주신다고 해요. 어떤 갑옷인지 성경 이야기를 잘 들어 보세요.

갑옷 그리기 *

준비물 **전지, 색연필**

① 아이들을 '소녀 팀'과 '소년 팀'으로 나누고, 각 팀에 전지와 색연필을 나누어 준다.

② 팀에서 한 명을 뽑아 전지 위에 눕게 하고, 사람 모양을 따라 테두리를 그리라고 한다.

③ 인도자가 갑옷의 명칭을 하나씩 말하면, 해당하는 부분을 그림에 그려 넣으라고 한다.

· 허리띠, 호심경(흉배), 신, 방패, 투구, 검

④ 각 팀이 완성한 그림을 발표하게 한다.

— 정말 멋진 모습이에요! 우리가 그린 것은 무엇인가요? 맞아요! 바로 갑옷이지요. 오늘 성경 이야기에는 하나님이 우리에게 주시는 갑옷에 관한 이야기가 나와요. 하나님은 우리에게 어떤 갑옷을 주시는지 함께 들어 보아요.

교사를 위한 기록장 이 과를 준비하면서 깨닫게 된 묵상을 정리해 보세요.

· 하나님이나 나에 대해 새롭게 알게 된 것은?

· 기억해야 할 하나님의 말씀은?

· 아이들에게 전하고 싶은 메시지는?

가스펠 **설교**
(15~30분)

들어가기

준비물 **작업용 앞치마, 보안경, 책상, 도구**(비커, 온도계, 가위, 드라이버 등), **상자, 반창고, 성경**

작업용 앞치마를 두르고, 보안경을 착용하고 들어온다. 무엇을 찾는 듯 책상 위에 늘어놓은 도구들을 살펴보다가 일회용 반창고와 상자를 집어 들고 아이들에게 말을 건넨다.

여러분, 안녕하세요! 다시 만나서 반갑습니다. 여러분에게 보여 줄 것이 있어요. 반창고를 들어 올린다. 이것은 일회용 반창고예요. 반창고를 뜯어 팔에 붙인다. 꽤 유용한 물건이지만, 사실 반창고가 생긴 것은 그리 오래되지 않았어요. 약 100년 정도 되었지요. 그러니까 여러분의 증조할아버지가 자라던 시절에는 손을 베어도 이런 반창고를 붙일 수 없었어요. 그 당시에는 상처가 나면 천으로 감싼 다음 끈이나 또 다른 천 조각으로 묶어 고정했어요. 혼자 하기는 어려웠을 거예요. 하지만 일회용 반창고가 발명되면서 사람들은 더 빨리 더 간편하게 감염으로부터 상처를 보호할 수 있게 되었지요.

오늘 여러분에게 하나님의 거룩한 말씀에 나오는 이야기를 들려줄 수 있어서 기뻐요. 성경을 들어 올린다. 오늘 성경 이야기는 하나님의 보호하심에 관한 내용이에요. 긁히거나 베인 상처를 보호하는 것이 아니라 악으로부터의 보호를 말하지요. 성경에 나오는 모든 이야기는 다 사실이에요! 모두 성경 이야기를 들을 준비 되었나요?

연대표

우리는 그동안 신약성경의 서신서에 나오는 이야기들을 배웠어요. 하나님이 예수님을 믿는 사람을 완전히 변화시키신다는 내용이었지요. 지난주에는 **성령님은 우리가 예수님을 닮아 가도록 우리의 생각과 행동을 변화시킨다**는 것을 배웠어요. '성령의 열매'가 바로 그 증거였어요. 오늘 성경 이야기를 들으면 우리를 안전하게 지키기 위해 하나님이 우리에게 주시는 것에 관한 이야기예요. 혹시 모든 그리스도인은 선과 악의 전투에 참여하고 있다는 사실을 알고 있나요? 과연 무슨 말인지 오늘 성경 이야기를 들으며 알아보아요.

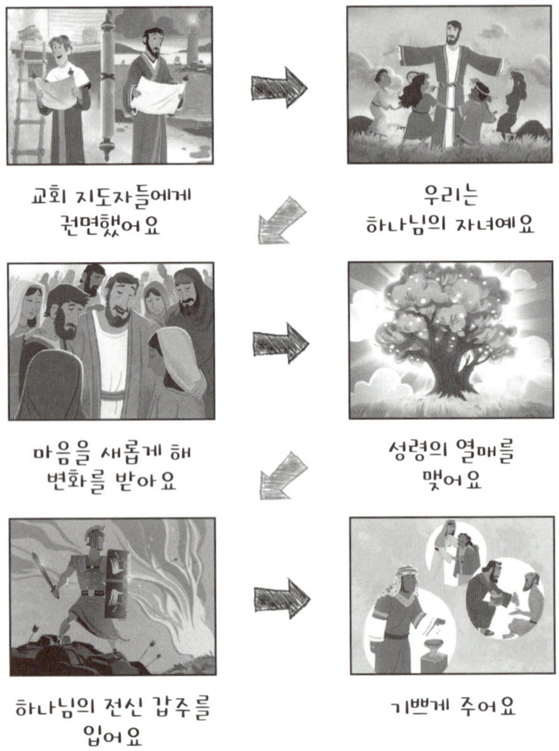

성경의 초점

2단원 '성경의 초점' 질문과 답을 기억하는 사람 있나요? 아이들의 대답을 기다린다. 잘했어요! 함께 말해 보아요. **누가 우리를 거룩하게 변화시키시나요? 성령님이 하나님의 영광을 위해 우리가 예수님을 닮아 가도록 변화시키세요.**

예수님을 닮아 가는 변화는 아주 긴 과정이라는 점을 기억하세요. 예수님을 믿고 구원받았지만, 여전히 죄와 싸워야 한다는 사실에 놀라지 마세요. 사실 성경은 우리가 매일 죄와 악에 맞서 싸워야 한다고 말해요. 다행인 것은 싸울 때 필요한 것을 하나님이 우리에게 주신다는 사실이에요. 바로 이것이 오늘 배우게 될 내용이에요.

성경 이야기

DVD 에베소서 6장을 펴고, 설교 영상(지도자용 팩)을 보여 주거나 이야기 성경을 들려준다. '하나님의 전신 갑주'(지도자용 팩)를 출력해 화이트보드에 붙인다. 전신 갑주를 설명할 때 각 부분을 가리키며 설명한다. 또는 대형으로 출력해 자원하는 아이에게 직접 붙이며 설명해도 좋다.

하나님은 악에 맞서 싸울 때 필요한 것을 우리에게 주신다고 성경이 말하고 있군요. 하나님은 우리가 마귀의 공격에 맞서 싸울 수 있도록 하나님의 갑옷을 주세요. 여기서 질문이 있어요. 하나님이 갑옷을 주셨다는데, 팔을 뻗고 몸을 살핀다. 어디에 있지요? 가슴을 보호하는 호심경(흉배)은 어디 있나요? 허리띠랑 투구랑 방패는요? 아이들의 대답을 기다린다. 하나님의 갑옷은 매일 찾아서 입어야 하는 무겁고 눈에 보이는 갑옷이 아니에요.

바울은 악에 맞서 싸우려면 어떤 준비를 해야 하는지를 로마 군인의 갑옷을 예로 들어 설명했어요. **우리는 하나님의 전신 갑주를 입고 악에 맞서 싸워요.** 우리는 어디를 가든 하나님의 진리, 의, 평화를 가지고 가야 해요. 믿음, 구원, 하나님의 말씀도 굳게 붙들어야 하지요. 또 기도도 해야 해요. 기도로 하나님께 도움을 구하는 것이지요. 이와 같은 하나님의 전신 갑주만 있다면 우리는 어떤 전투라도 치를 수 있어요.

어쩌면 여러분은 이렇게 생각할지도 모르겠어요. '도대체 어떻게 전투를 한다는 거지? 나는 힘도 세지 않고, 겁도 많은데'라고 말이에요. 걱정하지 마세요. 하나님은 우리를 혼자 힘으로 싸우도록 내버려두지 않으세요. 하나님은 우리에게 성령님을 주세요. 우리는 성령님의 능력을 의지하기만 하면 되는 거예요.

가스펠 링크

바울은 그리스도인들에게 날마다 영적 전쟁을 준비해야 한다고 말했어요. 우리는 하나님을 대적하는 자와 권세들과 맞서 싸워요. 하지만 예수님은 십자가에서 죽으시고 다시 살아나셨어요. 악을 이기셨지요. 예수님이 전쟁에서 악을 이기셨다는 것을 알기 때문에 우리도 악에 맞서 싸울 수 있어요.

DVD

복음 초청

성경과 21쪽 복음 초청 가이드를 이용해서 아이들에게 그리스도인이 되는 법을 설명해 준다. 따로 상담해 줄 사람을 정해 주고 궁금한 점이 있으면 물어보도록 격려한다.

이 시간 예수님을 마음에 모시고 싶은 친구는 함께 기도해요.

기도

하나님, 하나님은 우리를 지키는 분이시고, 우리 힘의 근원이십니다. 날마다 싸우는 영적 전쟁에서 우리에게 필요한 도구들을 주셔서 감사합니다. 악이 우리를 에워싸고 하나님께 영광 돌리지 못하도록 가로막아도, 언제나 주님만 바라볼 수 있도록 도와주세요. 예수님의 이름으로 기도합니다. 아멘.

적용

TIP 설교 도입이나 적용으로 활용하거나 영상을 본 뒤 소그룹으로 나누어 풍성한 대화를 이어 갈 수 있습니다.

만약 지금 당장 자리에서 일어나 전쟁하러 나가라고 한다면, 전투할 준비가 되어 있나요? 그리스도인이 치러야 할 전투는 어떤 것인가요? 오늘의 영상을 보며 함께 생각해 보아요.

DVD 적용 예화 영상(지도자용 팩)을 보여 준 후, 다음의 질문으로 이야기를 나눈다.

1. 집을 나설 때 무엇을 가지고 가나요? 이유는 무엇인가요?
2. 오늘 성경 이야기는 우리에게 무엇이 필요하다고 말하나요?
3. 우리가 살면서 만나는 전투는 어떤 것인가요?
4. 하나님이 주신 전신 갑주는 눈에 보이는 갑옷이 아니에요. 그렇다면 어떻게 전투를 준비할 수 있나요?

우리는 매일 영적 전쟁을 치러요. 하나님께 맞서는 사람들과 권세들이 우리에게도 맞설 거예요. 하지만 우리는 예수님 안에서 강해질 수 있어요. 하나님은 구원의 좋은 소식을 온 세상에 담대하게 전하도록 하나님의 전신 갑주를 갖추어 입으라고 말씀하세요. **우리는 하나님의 전신 갑주를 입고 악에 맞서 싸워요.**

가스펠 **소그룹**

(10~20분)

나침반

크게, 작게!

준비물 **2단원 암송**(111쪽)

① 2단원 암송 구절을 보여 주고, 아이들과 함께 큰 소리로 읽는다.

② 아이들에게 다양한 방법으로 암송 구절을 읽어 보라고 한다.

예) 속삭이듯이, 소리를 지르며, 빨리, 천천히 등.

③ 여러 번 반복해 읽으며 외우게 한다.

— 우리는 이 성경 구절을 암송하면서 예수님을 믿는 사람은 예전과 같지 않다는 사실을 기억할 수 있어요. 죄의 종으로 살던 옛 삶은 죽었어요. 예수님은 우리를 새로운 피조물로 만드셔서 예수님을 위해 살게 하세요.

보물 지도

무엇일까?

준비물 **성경**

① 성경에서 에베소서 6장을 펴게 한다.

② 에베소서는 신약성경 중 바울 서신에 해당한다고 말해 준다.

③ 에베소서 6장 10~19절을 한 절씩 돌아가면서 읽은 뒤, 다음의 질문으로 이야기를 나눈다.

· 성경 이야기의 어떤 점이 마음에 드나요?

· 성경 이야기 중 놀랍거나 혼란스러운 부분이 있나요?

· 우리가 해야 하거나 믿어야 할 것은 무엇인가요?

④ 인도자의 질문에 대답할 때 근거가 되는 성경의 장과 절을 함께 말하라고 한다.

1 우리를 강하게 하는 것은 무엇인가요? 주님과 주님의 능력 (엡 6:10)

2 하나님의 전신 갑주는 우리가 무엇에 맞서 싸울 수 있게 하나요? 마귀의 악한 계획 (엡 6:11)

3 허리에 두르는 허리띠와 같은 것은 무엇인가요? 진리 (엡 6:14)

4 가슴을 보호하는 호심경와 같은 것은 무엇인가요? 의 (엡 6:14)

5 성령의 검은 무엇인가요? 하나님의 말씀 (엡 6:17)

— 하나님이 우리에게 말씀을 주셔서 정말 좋지요? 오늘 성경 이야기를 통해 **우리는 하나님의 전신 갑주를 입고 악에 맞서 싸운다**는 사실을 배웠어요. 하나님은 우리에게 필요한 것이 무엇인지 잘 아세요. 우리에게 필요한 모든 것을 주시고, 성령님을 통해 예수님을 닮아 가게 하세요. '성경의 초점' 질문과 답을 함께 말해 볼까요? **누가 우리를 거룩하게 변화시키시나요? 성령님이 하나님의 영광을 위해 우리가 예수님을 닮아 가도록 변화시키세요.**

탐험하기

하나님의 갑옷

준비물 **학생용 교재 36쪽, 47쪽 '갑옷', 가위, 풀, 성경**

① 에베소서 6장 10~19절을 읽고, 하나님의 전신 갑주에는 어떤 것이 있는지 확인하게 한다.

② 47쪽의 '갑옷'을 오려 알맞게 붙인 후 순서대로 짚어가며 하나님의 전신 갑주를 설명하고 종이를 들춰 보며 답을 맞혀 보게 한다.

— 하나님의 전신 갑주는 어떤 공격도 막을 만큼 강해요. 영적 전쟁을 할 때 하나님의 전신 갑주를 입으면 어떤 공격에도 거뜬히 이길 수 있어요. 어려움에 처할 때 하나님께 기도하면 하나님이 하나님의 전신 갑주를 우리에게 입혀 주시고, 어떤 전투에서도 승리할 수 있도록 우리를 도와주세요.

이것이 다 무엇이냐?

준비물 **학생용 교재 37쪽, 연필**

암호를 풀어 그리스도인이 악에 맞서 싸울 때 하나님이 무엇을 주시는지 찾아보라고 한다.

— 전투라는 말을 들으면 흔히 눈에 보이는 싸움을 떠올려요. 오늘 우리가 들은 성경 이야기는 그것과는 다른 전투에 관한 거예요. 그리스도인이 준비해야 하는 영적 전투이지요. **우리는 하나님의 전신 갑주를 입고 악에 맞서 싸워요.** 이 싸움에서 이길 수 있도록 항상 기도하고 하나님을 의지해야 해요.

하나님의 전신 갑주를 찾아라! *

준비물 **색인 카드, 색연필**

① 하나님의 전신 갑주 종류를 색인 카드에 각각 적어, 2명당 2세트를 가질 수 있게 준비한다. (진리의 허리띠, 의의 호심경(흉배), 평안의 복음의 신, 믿음의 방패, 구원의 투구, 성령의 검)

② 아이들을 2명씩 짝을 짓게 하고, 카드에 적힌 단어가 보이지 않도록 뒤집어서 바둑판 모양으로 예배실 바닥에 배열하라고 한다.

③ 한 명씩 카드 2장을 동시에 뒤집으라고 한다. 서로 같은 카드가 나오면 카드를 가져가게 하고, 한 번 더 뒤집을 기회를 준다.

④ 다른 카드가 나오면 한 장만 글자가 보이게 두고 나머지 카드는 다시 뒤집은 후, 다음 아이에게 기회를 준다.

⑤ 카드를 더 많이 모은 사람이 이긴다고 말해준다.

— 우리가 치를 전투는 몸으로 하는 싸움이 아니에요. 눈에 보이지 않는 원수와 벌이는 영적인 전투이지요. 마귀는 우리가 하나님에게서 돌아서게 만들려고 해요. 사람들이 예수님을 믿고 사랑하는 것을 싫어하지요. 하지만 **우리는 하나님의 전신 갑주를 입고 악에 맞서 싸워요.** 하나님이 우리를 보호하실 것을 알기 때문에 우리는 하나님의 능력을 의지하며 굳게 설 수 있어요. 예수님은 십자가에서 죽으시고 다시 살아나셔서 악을 이기셨어요. 예수님의 승리는 예수님을 믿고 의지하는 모든 사람의 것이에요.

보물 상자

나만의 기록장

준비물 **학생용 교재 38쪽, 연필**

아이들에게 다음 질문에 대해 생각하고 글로 써 보라고 한다.

이 성경 이야기가 말하고 있는…

- 하나님이나 복음에 관한 사실은?
- 나에 관한 사실은?
- 순종해야 할 하나님의 말씀은? 그 말씀은 어떻게 하나님께 영광이 되고, 나에게는 유익이 될까요?
- 기억해야 할 하나님의 약속은? 그 약속은 내가 하나님을 믿고 사랑하는 데 어떤 도움이 되나요?

메시지 카드

이번 주 메시지 카드로 부모님과 함께 오늘 배운 성경 이야기를 나누어 보라고 한다.

기도

하나님, 우리가 악에 맞서 싸울 수 있도록 필요한 전신 갑주를 주셔서 감사합니다. 우리가 영적 전쟁을 치를 때 성령님이 언제나 함께하실 것을 믿습니다. 이미 모든 악을 이기신 예수님을 의지하며, 우리를 무너뜨리려는 원수에게 담대히 맞서게 해 주세요. 예수님의 이름으로 기도합니다. 아멘.

10

기쁘게 주어요

고후 8:1~15, 9:6~15

단원 암송

그런즉 누구든지 그리스도 안에 있으면
새로운 피조물이라 이전 것은 지나갔으니
보라 새것이 되었도다(고후 5:17).

성경의 초점

누가 우리를 거룩하게 변화시키시나요?
성령님이 하나님의 영광을 위해 우리가
예수님을 닮아 가도록 변화시키세요.

본문 속으로

바울은 고린도 교회에서 일어난 몇 가지 죄를 고린도전서에서 다루었습니다. 물론 그 편지에는 위험이 따랐습니다. 고린도 성도들이 바울을 등질 수도 있었기 때문입니다. 그러나 고린도 성도들은 그렇게 하지 않았습니다. 바울은 고린도후서를 쓰면서 하나님이 교회에 행하신 일을 높이고, 고린도 교회에 도움을 요청했습니다. 당시 예루살렘 교회는 절박하게 도움이 필요한 상황이었습니다. 그래서 바울은 예루살렘 교회를 돕기 위해 헌금을 모으고 있었습니다.

바울은 고린도 성도들에게 아낌없이 헌금할 것을 독려했습니다. 그는 마케도니아에 있는 교회에 관한 이야기를 들려주었습니다. 마케도니아는 고린도 북부에 있는 지역입니다. 그곳의 그리스도인들은 시련을 겪고 있었고 부유하지도 않았습니다. 그럼에도 그들에게는 기쁨이 넘쳤고, 그들은 힘을 다해 다른 사람들을 도왔습니다.

바울은 고린도 성도들에게 헌금을 권했습니다. 무언가를 나누는 일은 우리가 하나님을 사랑한다는 것을 보여 주는 방법 중 하나입니다. 하나님은 우리에게 아낌없이 주십니다. 그래서 우리도 다른 사람들에게 아낌없이 줄 수 있습니다. 예수님은 부유하신 분이었습니다. 하늘의 영광과 명예를 모두 가지신 분이었습니다. 하지만 이 땅에 오셔서 죄인들을 구하기 위해 그 모든 것을 버리셨습니다.

예수님은 아무것도 가진 것 없는 우리를 부유하게 하려고 자신의 모든 것을 버리셨습니다. 이제 우리는 예수님 안에서 구원과 영원한 생명을 얻었습니다. 그래서 바울은 고린도 성도들 역시 하나님께 받은 것들을 아낌없이 기쁜 마음으로 주기를 바랐던 것입니다.

●● 티칭 포인트

여러분이 가르치는 아이들도 마케도니아 성도들처럼 줄 것이 없다고 생각할 수 있습니다. 하지만 바울이 고린도 교회를 격려했던 것처럼 여러분도 아이들을 격려해 주십시오. 많이 주어야 하나님이 영광을 받으시는 것이 아닙니다. 얼마나 기쁜 마음으로 아까워하지 않고 주는지가 중요합니다.

아이들이 의무감이 아닌 감사하는 마음으로 나누도록 독려해 주십시오. 하나님은 기쁘게 주는 사람을 사랑하십니다(고후 9:7 참조). 자신이 속한 도시나 국가나 세계를 위해 어떤 것을 나눌 수 있을지 아이들과 함께 생각해 보십시오. 그것은 시간일 수도 있고 돈이나 재능일 수도 있습니다.

주 제

하나님이 우리에게 아낌없이 주신 것처럼 우리도 아낌없이 줄 수 있어요.

가스펠 링크

예수님은 우리를 죄에서 구하기 위해 자신의 생명을 버리심으로 아낌없이 준다는 것이 무엇인지 보여 주셨어요.

이야기 성경

기쁘게 주어요 고후 8:1~15, 9:6~15

바울은 예루살렘 교회를 위해 헌금을 모으고 있었어요. 그들은 도움이 필요했어요! 바울은 사랑하는 고린도 성도들에게 편지를 써서 도움을 청했어요. 마케도니아 지역의 교회에서 목격한 하나님의 은혜를 들려주었지요.

마케도니아는 고린도 북부에 있는 지역이에요. 그 곳 성도들은 고통을 겪고 있었어요. 가진 것도 많지 않았어요. 그렇지만 그들은 기쁜 마음으로 헌금했어요. 바울은 마케도니아 성도들이 가난하지만 있는 힘껏 헌금하며 다른 사람들을 도왔다고 말했어요.

바울은 고린도 성도들에게 그와 같이 헌금하라고 격려했어요. 무언가를 나누는 일은 우리가 하나님을 사랑한다는 것을 보여 주는 한 방법이에요. 바울은 예수님을 떠올려 주었어요. 예수님은 하늘의 영광과 명예를 모두 가진 부유한 분이었지만, 그 모든 것을 포기하고 가난해지셨어요. 우리를 구하러 이 땅에 오기 위해서 말이에요. 가진 것이 아무것도 없는 우리를 부유하게 하려고 그렇게 하셨지요. 이제 우리는 예수님 안에서 구원과 영원한 생명을 얻었어요.

바울은 고린도 성도들이 마케도니아 성도들만큼 가난하지 않다는 점을 강조했어요. 그들에게는 돈이 충분히 있었어요. 그것을 부족한 사람들에게 줄 수 있었지요. 그러면 모든 사람의 필요가 채워지는 거예요.

바울은 하나님이 광야에서 이스라엘 백성에게 만나를 내려 주신 일을 이야기했어요. 당시 모든 사람이 필요한 만큼 만나를 거두었어요. 어떤 사람은 많이 거두었지만 남지 않았고, 어떤 사람은 적게 거두었지만 부족하지 않았어요.

바울은 얼마나 많이 나누느냐보다 어떤 자세로 나누느냐가 더 중요하다고 말했어요. "하나님은 기쁘게 주는 사람을 사랑하십니다"라고 했지요. 그는 고린도 성도들에게 그들이 생각하기에 옳다고 생각되는 만큼 나누면 된다고 격려했어요.

바울은 하나님이 우리의 모든 필요를 채워 주시는 분이라는 사실을 강조했어요. 우리가 가진 모든 것은 하나님이 주신 선물이에요. 하나님은 다른 사람과 나누도록 재물을 주실 수도 있어요. 우리가 헌금하면 교회는 그것으로 어려움을 겪는 사람을 도와주어요. 그러면 도움을 받은 사람은 선물을 주신 하나님께 감사하게 되지요. 바울은 교회가 너그럽고 기쁘게 나눔으로써 예수님을 믿는 모습을 보여 주어야 한다고 말했어요. 그는 "가장 놀라운 선물인 하나님의 아들 예수님을 우리에게 주신 하나님께 감사드립시다!"라고 했어요.

● ● 가스펠 링크

하나님은 우리를 긍휼히 여기시고 우리에게 독생자를 주셨어요. 예수님은 우리를 죄에서 구하기 위해 자신의 생명을 버리심으로 아낌없이 준다는 것이 무엇인지 보여 주셨어요. 이처럼 우리도 다른 사람을 긍휼히 여기고 아낌없이 줄 수 있어요.

가스펠 준비
(10~20분)

환영

도착하는 아이들을 반갑게 맞이하고 헌금, 출석, QT 등을 확인하며 격려한다. 새 친구가 있다면 소개한다. 편안한 분위기에서 안부를 물으며 오늘의 말씀과 관련된 화제로 이야기를 나눈다. 아이들에게 기쁘게, 기꺼이, 기분 좋게, 불평 없이 하는 일은 어떤 것들이 있는지 물어본다. 자발적으로 대화에 참여하도록 이끈다.

예) "어떤 일을 할 때 기쁘게, 기꺼이, 기분 좋게, 불평 없이 하나요?", "왜 그렇게 하나요?", "돈을 줄 때는 어떤가요?" 등.

— 돈을 줄 때는 어떤가요? 누군가에게 돈을 주어야 한다면 기쁘게 줄 것 같나요? 아니면 마지못해 줄 것 같나요? 아이들의 대답을 기다린다. 왜 그렇게 생각하나요?

마음 열기

동작 퀴즈 *

준비물 **가늘고 긴 종이, 사인펜, 종이봉투**

① 가늘고 긴 종이에 감정을 나타내는 말을 하나씩 적은 뒤, 종이를 반으로 접어 봉투에 넣어 둔다.

예) 기쁘다, 두렵다, 화나다, 슬프다, 깜짝 놀라다, 감탄하다, 당황하다, 자랑스럽다 등.

② 술래를 한 명 정해 봉투에서 종이를 하나 뽑게 한다.

③ 술래에게 종이에 적힌 감정을 말없이 동작으로만 표현해 보라고 한다.

④ 아이들에게 어떤 감정을 표현하는 것인지 맞혀 보라고 한다.

⑤ 정해진 시간 안에서 술래를 새로 뽑아 동작으로 표현하고 맞히기를 반복한다.

— 오늘은 '기쁘게' 주는 것이 무엇인지 배울 거예요. 성경은 우리가 기쁘게 주어야 한다고 말해요. 왜 그래야 하는지 함께 알아보아요.

신발 주인 찾기 *

① 아이들을 2팀으로 나눈다.

② A팀 아이들에게 눈을 감으라고 한다.

③ B팀 아이들에게 자기 신발을 벗어 예배실 곳곳에 숨기라고 한다.

④ A팀 아이들에게 눈을 뜨고 B팀 아이들의 신발을 찾아 주라고 한다.

⑤ 2팀의 역할을 바꾸어 놀이를 반복한다.

TIP **신발을 벗고 들어가는 곳일 경우 양말로 대체해 놀이를 진행해도 좋다.**

— 신발 없이 생활하는 것은 매우 불편해요. 여러분은 신발이 없어 불편한 친구들을 돕기 위해 서로의 신발을 찾아 주었어요. 오늘은 서로를 돕는 섬김에 관한 성경 이야기를 살펴볼 거예요.

교사를 위한 기록장 이 과를 준비하면서 깨닫게 된 묵상을 정리해 보세요.

· 하나님이나 나에 대해 새롭게 알게 된 것은?

· 기억해야 할 하나님의 말씀은?

· 아이들에게 전하고 싶은 메시지는?

가스펠 설교
(15~30분)

들어가기

준비물 **작업용 앞치마, 보안경, 책상, 도구**(비커, 온도계, 가위, 드라이버 등), **전화기, 성경**

작업용 앞치마를 두르고, 보안경을 착용하고 들어온다. 무엇을 찾는 듯 책상 위에 늘어놓은 도구들을 살펴보다가 전화기를 집어 들고 아이들에게 말을 건넨다.

여러분, 안녕하세요! 제 연구실에 다시 오신 것을 환영합니다! 저는 발명가이자 병아리 신학자인 인도자 이름 박사랍니다. 이것 좀 보세요! 여러분에게 보여 줄 것이 있어요. 전화기를 들어 올린다. 이것은 전화기에요. 전화기가 발명된 지는 약 150년 정도 되었어요! 오늘날 여러분이 전화기를 많이 사용하든 그렇지 않든, 전화기는 사람들의 삶을 정말 엄청나게 바꾸어 놓았어요. 전화기 덕분에 사람들의 의사소통 속도가 빨라졌지요. 오늘도 여러분에게 하나님의 거룩한 말씀에 나오는 이야기를 들려줄 수 있어서 정말 기뻐요. 성경을 들어 올린다. 성경 이야기를 들을 준비 되었나요?

연대표

교회 지도자들에게 편지를 보냈어요

우리는 하나님의 자녀예요

마음을 새롭게 해 변화를 받아요

성령의 열매를 맺어요

하나님의 전신 갑주를 입어요

기쁘게 주어요

그동안 배운 성경 이야기들을 살펴볼까요? 이 이야기들은 우리가 예수님을 믿고 의지할 때 하나님이 우리를 변화시키신다는 사실을 보여 주어요. 하나님은 우리를 하나님의 가족으로 맞아 주시고, 우리의 마음과 생각을 변화시키시며, 우리의 마음가짐과 성품도 바꾸세요. 또한, 악에 맞서 싸울 때 필요한 모든 것을 우리에게 주시지요. 연대표에서 오늘의 성경 이야기를 가리킨다. 오늘 성경 이야기의 제목은 "기쁘게 주어요"예요. 우리에게 아낌없이 주시는 하나님처럼 우리를 다른 사람에게 아낌없이 주는 사람으로 변화시키시는 하나님에 관해 배울 거예요.

성경의 초점

2단원 '성경의 초점' 질문과 답을 함께 말해 볼까요? **누가 우리를 거룩하게 변화시키시나요? 성령님이 하나님의 영광을 위해 우리가 예수님을 닮아 가도록 변화시키세요.** 사람은 예수님을 믿기 전에는 자기 자신을 위해 살아요. 하지만 하나님이 우리 죄를 용서하시면 우리는 하나님을 위해 살게 되지요. 이런 변화는 순식간에 일어나지 않지만, 성령님은 우리 마음을 변화시키기 위해 지금도 우리 안에서 일하고 계세요.

성경 이야기

DVD 고린도후서 8장과 9장을 펴고, 설교 영상(지도자용 팩)을 보여 주거나 이야기 성경을 들려준다. 동전을 많이 넣은 주머니를 준비한다. 자원하는 아이 2명을 인도자 앞에 세우고, 한 아이에게 동전 주머니를 준다. 성경 이야기에서 '주다'라는 말이 나올 때마다 주머니를 주고받으라고 한다.

바울은 고린도 성도들에게 편지를 썼어요. 마케도니아에 있는 성도들 이야기를 들려주었지요. 마케도니아 성도들은 아낌없이 나누어 주는 일에 좋은 본보기가 되었기 때문이에요. 마케도니아 교회는 어려운 형편에서도 다른 사람들을 돕기 위해 힘닿는 데까지 기쁜 마음으로 주었어요.

그것은 쉬운 일이 아니에요! 여러분도 집안일을 거들거나 심부름을 하고 받은 용돈이 있을 거예요. 그 돈을 도움이 필요한 사람에게 아낌없이 기꺼이 줄 수 있나요? 그 이유는 무엇인가요? 곰곰이 한번 생각해 보세요.

우리가 가진 것을 다른 사람에게 주는 것은 우리가 하나님을 사랑한다는 사실을 보여 주는 한 방법이에요. 하나님이 우리를 돌보시는 것을 믿고 의지한다는 것을 보여 주는 방법이기도 하지요. 바울은 고린도 성도들에게 광야에서 백성을 돌보신 하나님을 떠올려 주었어요. 하나님은 이스라엘 백성에게 만나를 주셔서 먹이셨어요. 사람들은 필요한 만큼 거둘 수 있었지요. 하나님은 하나님의 백성이 하나님께 모든 것을 맡기기를 바라세요.

바울은 주는 일에 관해 한 가지 중요한 점을 지적했어요. 얼마나 많이 주느냐보다 어떤 마음으로 주느냐가 중요하다는 것이에요. 하나님은 기쁘게 주는 사람을 사랑하세요. **하나님이 우리에게 아낌없이 주신 것처럼 우리도 아낌없이 줄 수 있어요.**

가스펠 링크

하나님은 우리를 긍휼히 여기시고 우리에게 아낌없이 주셨어요. 그리고 하나님의 아들을 최고의 선물로 주셨지요. 예수님은 우리를 죄에서 구하기 위해 자신의 생명을 버리심으로 아낌없이 준다는 것이 무엇인지 보여 주셨어요. 이처럼 우리도 다른 사람을 긍휼히 여기고 아낌없이 줄 수 있어요.

찬양

성령의 열매

우리는 하나님의 자녀
소망 안에서 기뻐하고 어려울 때 함께 우는
우리는 주의 한 가족

우리는 새로운 피조물
그리스도 안에서 새로워진 성령의 열매 맺어가는
우리는 주의 백성

사랑 기쁨 평화 오래참음
선함 자비 신실 온유 절제
이것이 바로 성령의 열매 하나님 주신 선물

우릴 위해 예수님을 주셨듯이
주의 영광 위해 모든 것 드리는
우리가 바로 하나님 자녀 우리는 주의 백성.

복음 초청

성경과 21쪽 복음 초청 가이드를 이용해서 아이들에게 그리스도인이 되는 법을 설명해 준다. 따로 상담해 줄 사람을 정해 주고 궁금한 점이 있으면 물어보도록 격려한다.

이 시간 예수님을 마음에 모시고 싶은 친구는 함께 기도해요.

기도

하나님, 하나님은 우리의 공급자이십니다. 언제나 우리에게 필요한 모든 것을 주시니 감사합니다. 하나님이 주신 것들을 하나님의 영광을 위해 쓸 수 있도록 지혜를 주세요. 하나님이 예수님을 통해 우리에게 아낌없이 주신 것처럼 다른 사람에게 아낌없이 주는 우리가 되게 해 주세요. 예수님의 이름으로 기도합니다. 아멘.

적용

TIP 설교 도입이나 적용으로 활용하거나 영상을 본 뒤 소그룹으로 나누어 풍성한 대화를 이어 갈 수 있습니다.

좋은 것이 있을 때 다른 사람과 잘 나누나요? 그 이유는 무엇인가요? 오늘의 영상을 함께 보아요.

적용 예화 영상(지도자용 팩)을 보여 준 후, 다음의 질문으로 이야기를 나눈다.

1. 넬은 친구들과 공을 나누고 싶어 했나요? 그 이유는 무엇인가요?
2. 친구는 공을 가지게 되어 기뻤을까요?
3. 우리는 다른 사람과 무엇을 나눌 수 있을까요?
4. 우리에게 좋은 선물을 주시는 분은 누구이신가요?

하나님은 우리가 하나님을 믿고 의지하기를 바라세요. **하나님이 우리에게 아낌없이 주신 것처럼 우리도 아낌없이 줄 수 있어요.** 하나님은 도움이 필요한 사람에게 우리가 가진 것을 기쁘게 나누기를 바라세요. 이 세상 무엇보다 예수님을 소중하게 생각한다면 하나님이 우리의 공급자가 되시는 것을 믿고 의지하며 나눌 수 있어요.

나침반

말씀 탑을 세워라!

준비물 **2단원 암송**(111쪽), **종이컵 20개, 마커**

① 종이컵 10개에 암송 구절을 어절 단위로 나누어 써서, 2세트 준비한다.

② 아이들과 함께 2단원 암송 구절을 큰 소리로 읽는다.

③ 아이들을 2팀으로 나누고, 준비한 컵을 한 세트씩 준다.

④ 종이컵을 암송 구절 순서에 맞게 피라미드 모양으로 탑을 세우라고 한다. (맨 아래에서부터 4개, 3개, 2개, 1개)

⑤ 탑을 완성한 팀은 함께 큰 소리로 암송 구절을 외치라고 한다.

— 모두 참 잘했어요! 그리스도 안에 있는 사람은 누구나 예전과 같지 않아요. 이전 것은 지나가고 새것이 되었지요! 우리는 일생을 두고 계속해서 변화해요. '성경의 초점'을 함께 외쳐 볼까요? **누가 우리를 거룩하게 변화시키시나요? 성령님이 하나님의 영광을 위해 우리가 예수님을 닮아 가도록 변화시키세요.**

보물 지도

너의 생각은?

준비물 **성경**

① 아이들에게 성경에서 고린도후서 8~9장을 찾으라고 한다.

② 아이들과 함께 신약성경에서 고린도후서 앞에 나오는 책들의 이름을 말해 본다. (마태복음, 마가복음, 누가복음, 요한복음, 사도행전, 로마서, 고린도전서)

③ 바울은 예수님이 승천하신 지 약 25년 뒤에 고린도 성도들에게 이 편지를 썼다고 설명해 준다.

— 바울은 고린도 성도들에게 하나님이 마케도니아 지역의 교회에서 일하시는 모습을 이야기했어요. 하나님은 마케도니아 성도들의 마음을 변화시키셨어요. 어려운 형편에서도 도움이 필요한 사람들에게 아낌없이 나누는 성도들의 모습을 보고 바울은 그 사실을 확신하게 되었지요. **하나님이 우리에게 아낌없이 주신 것처럼 우리도 아낌없이 줄 수 있어요.**

④ 아이들에게 고린도후서 9장 6~8절을 함께 읽으라고 한다.

⑤ 다음 질문으로 이야기를 나눈다.

· 하나님은 돈이 필요 없는 분이세요. 그런데 왜 우리는 하나님께 헌금을 드릴까요?

· 우리는 어떤 마음으로 주어야 할까요? 그 이유는 무엇인가요?

· 이 세상의 모든 것은 누구의 것인가요?

탐험하기

오르락 내리락

준비물 **학생용 교재 40쪽, 연필**

계단을 오르내리면서 사이사이에 적힌 어절을 알맞게 연결해 주제 문장을 완성하게 한다.

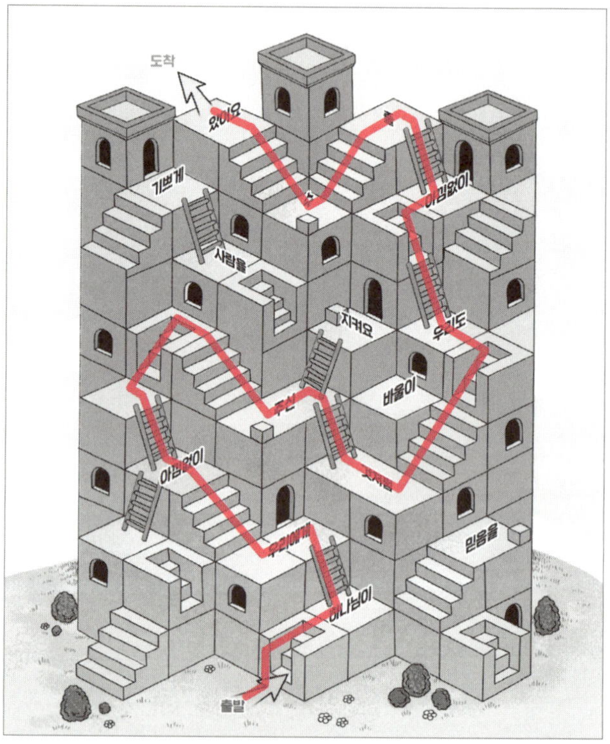

— 하나님은 우리를 긍휼히 여기시고 우리에게 독생자를 주셨어요. 예수님은 우리를 죄에서 구하기 위해 자신의 생명을 버리심으로 아낌없이 준다는 것이 무엇인지 보여 주셨어요. 이처럼 우리도 다른 사람을 긍휼히 여기고 아낌없이 줄 수 있어요.

서로 주어요

준비물 **학생용 교재 41쪽, 연필**

① 아이들에게 가장 받고 싶은 선물의 순위를 매기고 그 이유를 옆

에 적으라고 한다.

② 하나님이 우리에게 주신 가장 좋은 선물에 ○표 하고 아래에 그 이유를 적어 보라고 한다.

예시

	순위	이유
스마트폰	2	한 번도 가져본 적이 없다
노트북/태블릿/게임기	4	엄마 꺼 실컷 쓴다
새로 태어난 동생	5	동생이 있으면 좋을 것 같긴 한데 좀 귀찮을 것도 같다
고양이/강아지/햄스터/토끼	3	크리스마스 선물로 받으면 좋겠다
가족	6	우리 가족은 이미 항상 나와 함께 있다♡
예수님	1	나는 이미 예수님을 믿는다

우리가 하나님 나라에 들어갈 수 있게 해 주셨다.

— 오늘 성경 이야기에서 **하나님이 우리에게 아낌없이 주신 것처럼 우리도 아낌없이 줄 수 있다**는 것을 배웠어요. 하지만 정말 자신이 가진 것을 아낌없이 나눌 수 있을까요? 아마도 쉽지 않을 거예요. 하지만 하나님이 우리에게 보여 주셨던 사랑을 기억하며 다른 사람에게 아낌없이 나누는 우리가 되길 바라요. 우리의 힘으로는 쉽게 변할 수 없겠지만 성령님이 도와주실 거예요. **누가 우리를 거룩하게 변화시키시나요? 성령님이 하나님의 영광을 위해 우리가 예수님을 닮아 가도록 변화시키세요.**

아낌없이 주어요 *

준비물 **볼풀공 50개, 긴 끈**(2m 이상)

① 교사 2명에게 1~2m 거리를 두고 마주 서서 끈을 잡게 하고, 끈을 무릎 높이로 맞추라고 한다.

② 아이들을 2팀으로 나누고 끈 양쪽에 팀별로 서거나 앉으라고 한다. 각 팀에 공을 25개씩 준다.

③ 인도자가 "시작!"이라고 외치면, 발로 공을 집어서 상대편으로 넘기라고 한다.

④ 상대 쪽으로 더 많은 공을 넘긴 팀이 이긴다.

— 사람들은 더 많이 갖는 것을 좋아하지만, 하나님의 자녀들은 받는 것보다 주는 것을 더 좋아해요. 예수님은 우리를 죄에서 구하기 위해 자신의 생명을 버리심으로 아낌없이 준다는 것이 무엇인지 보여 주셨어요. 이처럼 우리도 다른 사람을 긍휼히 여기고 아낌없이 줄 수 있어요. 이번 한 주 동안 나눔의 기쁨을 경험하는 우리가 되기를 바라요.

보물 상자

나만의 기록장

준비물 **학생용 교재 42쪽, 연필**

아이들에게 다음 질문에 대해 생각하고 글로 써 보라고 한다.

이 성경 이야기가 말하고 있는…

· 하나님이나 복음에 관한 사실은?

· 나에 관한 사실은?

· 순종해야 할 하나님의 말씀은? 그 말씀은 어떻게 하나님께 영광이 되고, 나에게는 유익이 될까요?

· 기억해야 할 하나님의 약속은? 그 약속은 내가 하나님을 믿고 사랑하는 데 어떤 도움이 되나요?

메시지 카드

이번 주 메시지 카드로 부모님과 함께 오늘 배운 성경 이야기를 나누어 보라고 한다.

기도

하나님, 우리를 구원하기 위해 예수님을 보내 주셔서 감사합니다. 우리를 위해 생명까지 내어 주신 예수님처럼 우리도 가진 것들을 도움이 필요한 사람들과 나누게 해 주세요. 무엇보다 기쁜 마음으로 아낌없이 나눌 수 있도록 도와주세요. 나눔을 통해 하나님의 사랑을 전하는 우리가 되게 해 주세요. 예수님의 이름으로 기도합니다. 아멘.

11

믿음의 사람들

히 11:1~12:2

단원 암송

그런즉 누구든지 그리스도 안에 있으면 새로운 피조물이라 이전 것은 지나갔으니 보라 새것이 되었도다(고후 5:17).

성경의 초점

누가 우리를 거룩하게 변화시키시나요?
성령님이 하나님의 영광을 위해 우리가 예수님을 닮아 가도록 변화시키세요.

본문 속으로

흔히 사람들은 믿음을 그저 우리 안에 있는 어떤 것이라고 생각합니다. 하나님에 대한 신뢰와 확신이라고 생각하지요. 그것이 믿음의 모습인 것은 분명하지만, 믿음의 전부는 아닙니다. 믿음은 우리 안에서 시작해 언제나 행동으로 이어집니다.

히브리서의 저자는 초대교회의 유대인 성도들에게 온전한 믿음에 관해 설명하고자 했습니다. 구약성경에 나오는 믿음으로 산 사람들의 삶을 본보기로 들면서 믿음에 관해 이야기했습니다. 그것이 바로 이른바 '믿음의 전당'이라고 불리는 히브리서 11장입니다.

아벨이 믿음으로 하나님께 제사를 드리자 하나님이 그 제사를 받으셨습니다. 노아에게도 믿음이 있었습니다. 하나님이 방주를 지어 가족을 구하라고 하셨을 때 그는 하나님을 믿었습니다. 아브라함은 고향을 떠나라는 하나님의 부르심에 믿음으로 순종했습니다. 아브라함의 아내 사라가 아이를 낳을 수 없을 만큼 늙었음에도 자녀를 주시겠다는 하나님의 약속을 믿은 것도 믿음이었습니다. 이삭, 야곱, 요셉, 모세도 믿음의 사람들이었습니다. 라합은 여리고성에 숨어든 이스라엘 정탐꾼들을 믿음으로 숨겨 주었습니다.

이들은 모두 하나님을 믿었습니다. 수많은 다른 믿음의 사람도 그랬습니다. 믿음을 지키는 것은 쉬운 일이 아니었습니다. 많은 사람이 고난을 받았습니다. 그리고 그들은 모두 하나님의 가장 위대한 약속이 이루어지기 전, 즉 예수님이 오시기 전에 죽었습니다. 그럼에도 그들은 하나님의 놀라운 계획을 믿었습니다. 하나님은 하나님을 믿는 그들의 모습을 기뻐하셨습니다.

●● 티칭 포인트

믿음의 사람들에 관한 이야기를 통해 행동하는 믿음이 무엇인지 아이들이 이해할 수 있도록 도와주십시오. 우리는 이런 본보기들을 통해 믿음이 무엇인지 배울 수 있습니다. 이것이 바로 하나님이 우리에게 히브리서 11장을 주신 이유입니다. 하지만 믿음의 사람들도 모두 구원을 받아야 하는 죄인이었다는 점을 강조하십시오. 우리를 죄에서 구원하시는 완전한 믿음의 본보기이신 예수님을 아이들이 바라볼 수 있도록 도와주십시오.

주 제

믿음의 사람들은 보이지 않는 하나님의 약속을 믿고 순종해요.

가스펠 링크

성경은 믿음으로 산 사람들의 본보기를 보여 주어요. 그중에 완전한 믿음의 본보기를 보여 주신 분은 예수님이에요.

믿음의 사람들 히 11:1~12:2

히브리서에는 믿음으로 살았던 사람들의 이름이 나와요. 믿음이란 무엇일까요? 믿음은 우리가 바라는 것들에 대해서 확신하는 거예요. 또 믿음은 하나님을 믿기 때문에 하나님께 순종하는 거예요. 믿음으로 우리는 하나님이 아무것도 없는 데서 말씀으로 모든 것을 창조하셨다고 믿어요.

수많은 성경 속 인물이 믿음의 삶을 살았어요. 하나님은 그들의 믿음을 기뻐하셨지요. 아벨이 믿음으로 제사를 드리자 하나님이 그 제사를 받으셨어요. 하나님을 기쁘시게 하려면 믿음이 있어야 해요. 믿음이 있어야만 하나님의 살아계심과 하나님이 믿는 자에게 상을 주신다는 사실을 믿을 수 있어요.

노아도 믿음의 사람이었어요. 그는 방주를 지어 가족을 구하라는 하나님의 말씀을 믿고 순종했어요. 노아는 홍수가 올 것이라는 하나님의 말씀을 믿었기 때문에 다른 사람들에게도 경고했어요. 하나님은 노아의 믿음을 기뻐하셨어요.

아브라함은 고향을 떠나라는 하나님의 부르심에 믿음으로 순종했어요. 어디로 가는지 몰랐지만 하나님께 순종해 떠났지요. 하나님이 아브라함에게 약속하셨을 때, 아브라함은 하나님이 그 약속을 지키실 것이라고 믿었어요. 아브라함의 아내 사라에게도 믿음이 있었어요. 사라는 아이를 낳을 수 없을 만큼 늙었지만 아이를 주겠다는 하나님의 말씀을 믿었지요. 이삭이 태어났을 때 사라의 나이는 90살, 아브라함의 나이는 100살이었어요. 아브라함과 사라는 많은 자손을 두게 되었어요. 하나님이 그들에게 하늘의 별과 같이 셀 수 없을 만큼 많은 자손을 주셨어요.

이삭, 야곱, 요셉, 모세도 모두 믿음의 사람들이었어요. 라합은 여리고성에 숨어든 이스라엘 정탐꾼들을 믿음으로 숨겨 주었어요. 다윗에게도 믿음이 있었어요. 이들은 모두 하나님을 믿었어요. 수많은 다른 믿음의 사람도 그랬지요.

믿음을 지키는 것은 쉬운 일이 아니에요. 많은 믿음의 사람이 어려움을 겪었어요. 그리고 그들은 모두 하나님의 가장 위대한 약속이 이루어지기 전에, 즉 예수님이 오시기 전에 죽었어요. 그럼에도 그들은 하나님의 놀라운 계획을 믿었어요. 하나님을 믿는 그들의 모습을 하나님은 기뻐하셨어요.

우리도 하나님의 놀라운 계획을 알고 있어요. 하나님은 메시아를 보내 사람들을 죄에서 구하겠다는 약속을 지키셨어요. 하나뿐인 아들 예수님을 보내 주셨지요. 예수님은 우리에게 믿음을 주세요. 우리는 예수님을 바라보기만 하면 되어요. 예수님 안에서 하나님의 약속이 모두 이루어지기 때문이에요.

●● 가스펠 링크

성경은 믿음으로 산 사람들의 본보기를 보여 주어요. 그중에 완전한 믿음의 본보기를 보여 주신 분은 예수님이에요. 예수님은 십자가를 통해 다가올 기쁨을 고대하셨어요. 성경 속 믿음의 사람들이 간절히 바라며 기다리던 일이 예수님으로 인해 완성될 거예요. 우리는 언젠가 예수님이 다시 오실 것을 믿어요. 하나님은 항상 약속을 지키시는 분이기 때문이에요.

가스펠 준비
(10~20분)

환영

도착하는 아이들을 반갑게 맞이하고 헌금, 출석, QT 등을 확인하며 격려한다. 새 친구가 있다면 소개한다. 편안한 분위기에서 안부를 물으며 오늘의 말씀과 관련된 화제로 이야기를 나눈다. 아이들에게 다른 사람들이 자신을 어떤 모습으로 기억해 주기를 바라는지 물어본다. 자발적으로 대화에 참여하도록 이끈다.

예) "다른 사람들은 여러분을 어떤 모습으로 기억할까요?", "어떤 모습으로 기억해 주기를 바라나요?" 등.

— 지금부터 50년, 100년, 500년 후에 사는 사람들이 여러분에 관한 이야기를 듣는다고 상상해 보세요. 역사책은 여러분을 어떻게 기록할까요? 오늘은 오래전에 살았던 어떤 사람들의 삶을 들여다볼 거예요. 그 사람들의 이야기는 아직도 많은 사람에게 기억되고, 하나님께 영광이 되고 있답니다.

마음 열기

영웅 그리기 *

준비물 **종이, 색연필**

① 아이들에게 종이와 색연필을 나누어 준다.

② 성경 인물 중 영웅이라고 생각하는 인물을 그림으로 그려 보라고 한다.

③ 완성한 그림을 보여 주며 그 인물을 영웅이라고 생각하는 이유를 발표하게 한다.

— 오늘 성경 이야기는 믿음의 영웅들에 관한 이야기예요. 살면서 하나님을 향한 믿음을 지켰던 사람들의 이야기를 들을 거예요. 그리고 최고의 영웅이신 예수님에 관해서도 배울 거고요!

그림 퍼즐 *

DVD 준비물 **'믿음의 전당' 퍼즐**(지도자용 팩)**, 가늘고 긴 종이, 봉투**

① 지도자용 팩에서 '믿음의 전당' 퍼즐을 출력해 여러 조각으로 나누어 2세트 준비한다.

② 아이들을 2팀으로 나누고, 팀별로 퍼즐을 맞추게 한다.

③ 완성한 퍼즐 속 인물에 관해 아는 것이 있다면 말해 보라고 한다. 인물들에 관해 다음의 정보를 알려 준다.

· 아벨은 하나님이 기뻐하시는 제사를 드렸어요.

· 아브라함은 하나님이 많은 자손을 주실 것이라고 믿었어요.

· 노아는 하나님께 순종해 방주를 만들었어요.

· 모세는 하나님의 백성을 이집트에서 데리고 나왔어요.

· 라합은 여리고성에 온 이스라엘 정탐꾼들을 숨겨 주었어요.

· 다윗은 이스라엘의 위대한 왕이었어요.

— 이 인물들은 모두 구약 시대에 살았던 사람들이에요. 성경은 우리에게 이들의 이야기를 들려주어요. 과연 이 사람들의 공통점은 무엇인지 조금 더 자세히 알아보아요.

교사를 위한 기록장 이 과를 준비하면서 깨닫게 된 묵상을 정리해 보세요.

· 하나님이나 나에 대해 새롭게 알게 된 것은?

· 기억해야 할 하나님의 말씀은?

· 아이들에게 전하고 싶은 메시지는?

가스펠 **설교**
(15~30분)

들어가기

준비물 **작업용 앞치마, 보안경, 책상, 도구**(비커, 온도계, 가위, 드라이버 등), **열쇠 꾸러미, 성경**

작업용 앞치마를 두르고, 보안경을 착용하고 들어온다. 무엇을 찾는 듯 책상 위에 늘어놓은 도구들을 살펴보다가 열쇠 꾸러미를 집어 들고 아이들에게 말을 건넨다.

여러분, 안녕하세요! 제 연구실에 다시 오신 것을 환영합니다! 마지막으로 여러분에게 보여 줄 것이 있어요. 열쇠 꾸러미를 들어 올린다. 이것은 제 자동차 열쇠예요. 여러분은 아직 차를 운전할 나이가 아니라서 버스나 지하철을 이용할 거예요. 휘발유를 연료로 사용하는 자동차가 약 130년 전에 발명되었다는 것을 알고 있나요? 그 뒤로 사람들이 먼 길을 이동하는 방식이 완전히 달라졌지요! 솔직히 저는 자동차가 어떻게 작동하는지 완전히 이해하지는 못해요. 하지만 운전을 할 때는 차가 정상적인 방식으로 잘 작동할 것이라고 확신하지요. 오늘도 여러분에게 하나님의 거룩한 말씀에 나오는 이야기를 들려줄 수 있어서 정말 기뻐요. 성경을 들어 올린다. 오늘 성경 이야기는 하나님이 이루겠다고 약속하신 말씀이 반드시 이루어질 것이라고 확신해도 된다는 것을 깨닫게 도와줄 거예요. 이런 확신을 믿음이라고 해요. 성경에 나오는 이야기는 모두 진리예요! 성경 이야기를 들을 준비 되었나요?

연대표

우리가 그동안 배운 성경 이야기들은 모두 신약성경의 서신서에 나와요. 이 이야기들은 성령님이 우리 안에서 어떤 변화를 일으키시는지를 보여 주지요. 성령님은 우리의 생각과 마음을 변화시키세요. 그래서 예수님을 사랑하고 섬기며 예수님이 우리에게 맡기신 임무를 완수할 수 있게 하시지요. 오늘 성경 이야기에서는 믿음으로 살았던 사람들의 삶을 돌아보고, 성경의 진정한 본보기이자 든든한 믿음의 대상이신 예수님에 관해 배울 거예요. 이제 성경 이야기를 들어 보아요.

성경의 초점

오늘은 2단원 '성경의 초점'을 살펴보는 마지막 날이 되겠군요. 제가 질문하면 여러분이 대답해 주세요. **누가 우리를 거룩하게 변화시키시나요?** 아이들의 대답을 기다린다. **성령님이 하나님의 영광을 위해 우리가 예수님을 닮아 가도록 변화시키세요.**

성경 이야기

히브리서 11장을 펴고, 설교 영상(지도자용 팩)을 보여 주거나 이야기 성경을 들려준다. '믿음의 사람들'(지도자용 팩)을 출력한다. 예배 시작 전에 교사들에게 출력한 인물 이미지를 나누어 주고, 그 인물을 생각하면 떠오르는 모습을 표현하게 한다. 성경 이야기에서 자신이 맡은 인물이 나올 때 그 모습을 표현하게 한다.

이 성경 이야기는 구약성경의 여러 인물을 소개해요. 성경은 이 사람들이 믿음으로 살았다고 말해요. 믿음으로 산다는 것이 무슨 뜻일까요? 믿음은 우리가 소망하는 것이 실제로 일어날 것이라고 확신하는 거예요. 우리는 하나님을 믿고 의지하기 때문에 하나님께 순종해요. 그러니까 믿음은 하나님을 믿는다고 말만 하는 것이 아니라 행동과 삶으로 보여 주는 거예요. 그런 믿음을 하나님이 기뻐하세요.

아벨은 믿음으로 하나님께 제사를 드렸어요. 하나님은 아벨의 제물을 기쁘게 받으셨지요. 노아도 믿음이 있었어요. 노아는 무엇을 했나요? 아이들의 대답을 기다린다. 맞아요! 노아는 홍수가 올 것이라는 하나님의 말씀을 믿었어요. 아마도 주변 사람들은 노아가 미쳤다고 생각했을 거예요! 하지만 노아는 하나님 말씀에 순종해 방주를 만들었어요.
하나님이 아브라함에게 고향을 떠나라고 말씀하셨을 때 그에게도 믿음이 있었어요. 하나님은 그의 미래에 대한 구체적인 계획을 알려 주지 않으셨어요. 하지만 아브라함은 하나님을 믿고 순종했어요. 우리가 믿음을 가질 때 하나님은 기뻐하세요.
아브라함의 아내 사라는 아기를 갖게 될 것이라는 하나님의 말씀을 처음에는 믿을 수 없었어요. 그때 사라의 나이가 90살이나 되었기 때문이에요! 그래도 사라는 믿었고, 하나님은 그에게 많은 자손을 허락하셨어요.
구약성경은 믿음으로 살았던 수많은 사람의 이야기를 들려주어요. 이삭, 야곱, 요셉, 모세, 라합, 다윗도 그런 사람들이지요. 믿음을 갖는 것은 쉬운 일이 아니에요. 하지만 하나님은 언제나 약속을 지키세요.

가스펠 링크

성경은 믿음으로 산 사람들의 본보기를 보여 주어요. 그중에 완전한 믿음의 본보기를 보여 주신 분은 예수님이에요. 예수님은 십자가를 통해 다가올 기쁨을 고대하셨어요. 성경 속 믿음의 사람들이 간절히 바라며 기다리던 일이 예수님으로 인해 완성될 거예요. 우리는 언젠가 예수님이 다시 오실 것을 믿어요. 하나님은 항상 약속을 지키시는 분이기 때문이에요.

복음 초청

성경과 21쪽 복음 초청 가이드를 이용해서 아이들에게 그리스도인이 되는 법을 설명해 준다. 따로 상담해 줄 사람을 정해 주고 궁금한 점이 있으면 물어보도록 격려한다.
이 시간 예수님을 마음에 모시고 싶은 친구는 함께 기도해요.

기도

하나님, 우리에게 말씀을 주시고, 믿음으로 살았던 사람들의 모습을 보여 주셔서 감사합니다. 하나님은 언제나 약속을 지키시는 분이라는 사실을 기억하며 믿음으로 사는 우리가 되도록 인도해 주세요. 우리의 마음을 변화시키셔서 평생토록 신실하게 하나님만 섬기게 해 주세요. 예수님의 이름으로 기도합니다. 아멘.

적용

TIP 설교 도입이나 적용으로 활용하거나 영상을 본 뒤 소그룹으로 나누어 풍성한 대화를 이어 갈 수 있습니다.

과거에 살았던 사람들의 삶을 살펴본 적이 있나요? 오늘의 영상을 보며 함께 생각해 보아요.

DVD 적용 예화 영상(지도자용 팩)을 보여 준 후, 다음의 질문으로 이야기를 나눈다.

1 컵케이크들은 옛날 컵케이크들의 어떤 부분에 감탄했나요?
2 우리는 왜 과거에 살았던 사람들의 모범을 살펴보아야 할까요?

과거에 살았던 믿음의 사람들은 하나님을 위해 사는 삶이 어떤 것인지 모범을 보여 주어요. 하나님은 우리가 이전에 믿음으로 살았던 사람들의 모습을 보고 용기를 얻기를 바라세요. 그들에게 베푸신 하나님의 신실하심을 기억하며 우리의 미래를 하나님께 맡길 믿음과 용기를 얻을 수 있어요.

가스펠 **소그룹**
(10~20분)

나침반

날 따라 해 보아요!

준비물 **2단원 암송**(111쪽)

① 2단원 암송 구절을 아이들과 함께 큰 소리로 읽는다.

② 아이들을 2팀으로 나눈다.

③ 첫 번째 팀이 암송 구절을 어절 단위로 나누어 먼저 말하면, 2번째 팀이 따라 말하게 한다.

④ 팀의 순서를 바꾸어 암송 구절 따라 말하기를 반복한다.

— 암송 구절을 외우면 자연스럽게 '성경의 초점'이 떠올라요. **누가 우리를 거룩하게 변화시키시나요? 성령님이 하나님의 영광을 위해 우리가 예수님을 닮아 가도록 변화시키세요.** 우리가 새로운 피조물로 변화되는 한 가지 방법은 하나님이 우리에게 믿음을 선물로 주시는 거예요.

보물 지도

신약 속 구약

준비물 **성경**

① 성경에서 히브리서를 펴게 한다.

② 히브리서의 저자가 누구인지 분명하지 않지만, 모든 성경은 하나님의 감동으로 된 것이기 때문에 히브리서의 내용 역시 진리라고 말해 준다.

③ 히브리서의 저자는 이 편지를 통해 사람들에게 예수님에 관한 진리를 되새겨 주고 믿음으로 살라고 용기를 북돋운다고 설명해 준다.

— 히브리서 11장은 믿음을 다루고 있어요. 오늘 성경 이야기를 통해 들은 이야기지요. 믿음의 사람들은 보이지 않는 하나님의 약속을 믿고 순종했어요.

④ 아이들과 함께 히브리서 11장을 읽는다.

⑤ 인도자가 질문하면, 구약 인물 중 누구에 대한 설명인지 맞혀 보라고 한다.

1 이 사람은 믿음으로 하나님의 백성을 이집트에서 데리고 나와 홍해를 건넜어요. 모세 (히 11:24, 27, 29)

2 이 사람은 믿음으로 방주를 만들어 가족을 홍수에서 구했어요. 노아 (히 11:7)

3 이 사람은 자기 아들을 제물로 드리라는 하나님의 명령에 믿음으로 순종했어요. 그는 하나님이 죽은 사람을 다시 살리시는 분이라고 믿었어요. 아브라함 (히 11:17, 19)

4 이 사람은 믿음으로 여리고성에 온 정탐꾼들을 자기 집에 숨겨 주었어요. 라합 (히 11:31)

5 이 사람은 자기가 이미 늙은 것을 알았지만 하나님이 자식을 주실 것이라고 믿었어요. 사라 (히 11:11)

6 이 사람은 믿음으로 자기 형보다 더 나은 제사를 하나님께 드렸어요. 아벨 (히 11:4)

— 믿음은 하나님이 주시는 선물이에요. 무조건 믿는 것과는 달라요. 하나님은 믿음의 근거가 될 만한 수많은 증거를 우리에게 주셨어요. 구약성경에서 하나님은 선지자들을 통해 사람들에게 말씀하셨어요. 나중에는 하나님의 아들 예수님을 보내셔서 사람들에게 직접 말씀하셨지요.

탐험하기

믿음의 사람들을 만나다

준비물 **학생용 교재 44쪽, 연필**

제시된 성경 인물 중 한 명을 정해 그 사람에 관한 짧은 기사를 적어 보게 한다.

예시

아벨, 믿음의 제사를 드리다

짧지만 강렬하게 살다 하나님께 간 사람이 있다. 아벨은 선악과를 따 먹은 불순종의 죄를 저지른 부모(아담, 하와)에게서 태어났지만, 믿음의 제사를 드렸다. 그의 제사는 형 가인의 질투를 일으킬 정도였다. 하나님은 아벨의 제사를 받으시고 의롭다고 인정하셨다. 아벨이 죽은 후에도 그의 믿음은 여전히 후손들에게 전해지고 있다.

예시

여리고가 무너졌다!

무척이나 부강한 여리고 성이 무너졌다.
이스라엘 백성이 7일 동안 성 주변을 돈 후 일어난 일이었다.
그곳의 사람들 중 라합이라는 여자와 그 가족은 살아남았다. 그는 이스라엘의 하나님을 믿고 이스라엘 정탐꾼들을 숨겨준 덕택이었다.
하나님이 라합의 믿음을 보시고 그 가족을 구원해 주신 것이다.

— **믿음의 사람들은 보이지 않는 하나님의 약속을 믿고**

순종해요. 여러분에 관한 기사도 실린다면 기분이 어떨까요? 정말 기분이 좋을 것 같아요. 그러기 위해서는 하나님이 우리에게 주신 믿음을 잘 지켜야해요. **누가 우리를 거룩하게 변화시키시나요? 성령님이 하나님의 영광을 위해 우리가 예수님을 닮아 가도록 변화시키세요.**

셋 중 하나

준비물 학생용 교재 45쪽, 연필

단어 중 알맞은 것을 하나씩 골라 문장을 완성해 보라고 한다.

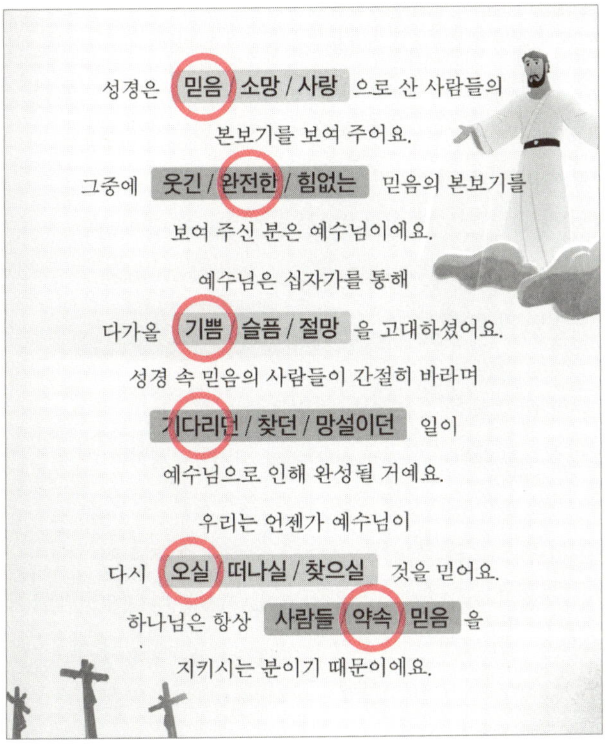

— 믿음은 하나님이 주시는 선물이에요. 하지만 믿음을 지키기 쉽지 않을 때가 있어요. 그때 오늘 배운 성경 인물들을 떠올려 보세요. 그들처럼 하나님을 믿고 의지하는 우리가 되길 바라요. 예수님을 믿을 때 하나님은 우리에게 성령님을 주세요. 성령님은 우리를 도우시고 우리가 하나님을 위해 살 수 있도록 능력을 주세요. 우리는 하나님이 약속을 반드시 이루실 것을 믿음으로 확신할 수 있어요.

믿음의 장애물 코스 *

준비물 눈가리개, 책상, 의자

① 예배실에 책상과 의자를 이용해 간단한 장애물 코스를 만든다.

② 아이들을 2명씩 짝을 짓고, 장애물 코스를 안전하게 통과하는 시범을 보여 준다.

③ 두 사람 중 한 명은 눈을 가리고, 다른 사람이 눈을 가린 사람을 인도해 장애물을 통과해야 한다고 말해 준다.

④ 일정한 간격을 두고 한 팀씩 출발시킨다.

⑤ 서로 역할을 바꾸어 한 번 더 장애물을 통과하게 한다.

— 모두 자기 짝에 대한 믿음이 있었나요? 짝꿍을 믿고 의지했나요? 성경은 우리에게 믿음으로 산 사람들의 이야기를 들려주어요. 어떤 사람에게 믿음이 있는지 어떻게 알 수 있을까요? 아이들의 대답을 기다린다. 예수님을 믿는다는 말만으로는 부족해요. 행동과 사는 모습으로 믿음을 보여 주어야 해요. 하나님께 순종하고, 하나님을 믿고 의지해야 하지요.

보물 상자

나만의 기록장

준비물 학생용 교재 46쪽, 연필

아이들에게 다음 질문에 대해 생각하고 글로 써 보라고 한다.

이 성경 이야기가 말하고 있는…

· 하나님이나 복음에 관한 사실은?

· 나에 관한 사실은?

· 순종해야 할 하나님의 말씀은? 그 말씀은 어떻게 하나님께 영광이 되고, 나에게는 유익이 될까요?

· 기억해야 할 하나님의 약속은? 그 약속은 내가 하나님을 믿고 사랑하는 데 어떤 도움이 되나요?

메시지 카드

이번 주 메시지 카드로 부모님과 함께 오늘 배운 성경 이야기를 나누어 보라고 한다.

기도

하나님, 성경에 나오는 믿음의 사람들처럼 우리도 예수님이 다시 오시는 그날까지 믿음으로 살아가게 해 주세요. 진정한 믿음의 본을 보이신 예수님만이 우리의 구세주이심을 믿습니다. 이 믿음을 잘 지킬 수 있도록 도와주세요. 예수님의 이름으로 기도합니다. 아멘.

칼럼

아이들에게 삼위일체를 어떻게 설명할 것인가?

얼마 전 기자인 친구가 저에게 이메일을 보내 많은 그리스도인 부모가 던질 법한 질문을 했습니다. 바로 '삼위일체'라는 개념을 아이들에게 어떻게 설명할 것인가 하는 질문이었습니다. 많은 부모와 사역자가 이 질문에 공감하는 이유는 성인인 우리 자신도 그 교리를 정확하게 설명하지 못하기 때문이라고 생각합니다. 우리는 그저 "성경은 옳아"라고 말하면서 성경의 무오성을 가르칠 수 있습니다. 구속에 관해서도 "예수님이 우리 죗값을 치르셨고 영원히 살아계셔"라고 말하면서 어느 정도 설명할 수 있겠지요. 하지만 삼위일체는 전혀 다른 문제입니다.

우리가 삼위일체에 대한 설명을 두려워하고 망설이는 이유는 기독교 복음에 대한 잘못된 이해와 상당한 연관이 있는 것 같습니다. 신학자 칼 헨리의 말처럼 기독교는 이성적이고 지적입니다. 그러나 기독교는 이성과 지성이 전부가 아닙니다. 복음은 다른 유의 지혜를 가리킵니다. 인간의 입을 닫게 만드는 그런 지혜 말입니다(사 55:8; 렘 8:9; 고전 1:19~20 참조).

하나님은 한 분이십니다. 그러면서 서로 영원한 관계로 맺어진 세 위격이십니다. 그리고 우리는 그 관계 안으로 초대받았습니다. 이것은 모순되지 않습니다. 하나님이 한 분으로 존재하는 방식은 세 분으로 존재하는 방식과 다릅니다. 그 반대의 경우도 마찬가지입니다. 어느 누가 이런 지혜를 특정한 공식이나 비유로 압축할 수 있겠습니까?

우리는 간혹 아이들의 궁금증을 해소해 주고 싶은 마음에 아이들을 위한 간단하고 쉬운 비유를 찾습니다. 삼위일체가 세 잎 클로버와 같다거나, 물·얼음·증기와 같다거나 하는 방식으로 쉽게 설명된다면 우리는 그 문제를 '넘어갈 수' 있을 테니까요. 우리는 삼위일체에는 이해하기 힘든 점이 있다고 말하면 아이들이 우리가 복음의 진리를 말할 때도 확신이 없다고 생각할까 봐 두려워합니다.

그러나 예수님은 아이들이 믿는 방식 중에 우리 모두에게 적용할 수 있는 것이 있다고 말씀하십니다. 예수님은 하나님의 나라에 들어가려면 아이들과 같이 되어야 한다고 하십니다. 어떤 면에서 이것은 맞는 말씀입니다. 아이들은 지극히 문자 그대로 받아들입니다. 저도 어릴 때 왜 그런지 모르겠지만 작은 형태의 내가 군복을 입고 마음속의 한 공간에 있는 것이 '영혼'이라고 생각했던 기억이 납니다.

그러나 더 중요한 것은, 아이들은 종종 어른들과는 다른 방식으로 신비와 역설을 잘 받아들인다는 것입니다. 아이들은 눈을 동그랗게 뜨고 경이로운 눈으로 세상을 탐험합니다. 모든 것을 다 이해하지 못하지만, 자신이 다 이해하지 못한다는 사실을 알고 있습니다. 바로 그것이 예수님이 칭찬하신 복된 무지(blessed ignorance)라고 저는 믿습니다. 믿기 위해서는 하나님이 하신 모든 말씀을 신뢰해야 합니다. 나아가 하나님에 대한 우리 자신의 이해에서 벗어나 있는 그대로의 하나님을 주님으로 보아야 합니다. 그나마 조금이라도 보려면 우리가 보는 것이 "거울로 보는 것 같이 희미"하다는 것을 반드시 기억해야 합니다(고전 13:12 참조).

그렇다면 우리는 아이들에게 용감하게 말해야 합니다. "하나님은 한 분이시면서 세 위격이시란다. 하나님과 하나님의 방법은 워낙 크고 신비로워서 내가 다 설명할 수 없단다. 놀랍지 않니?"라고 말입니다. 아이들이 "도대체 무슨 말인지 하나도 모르겠어요"라고 말해도 걱정하지 마십시오. 당황하지 말고 눈을 반짝이며 이렇게 말씀하십시오. "알아! 나도 그래! 하지만 정말 신비하고 멋지지 않니?"

물론 그런다고 대화가 끝나지는 않을 것입니다. 오히려 대화가 시작되지요. 하지만 우리에게는 삼위일체의 실체를 탐구할 무수한 시간이 있습니다. 오직 시작하는 것이 필요할 뿐이지요.

그리고 경이로움과 경외심을 가지고 하나님이 한 분이신 동시에 세 위격이시라는 사실을 배우는 것은, 그리스도인과 무신론주의자들 사이에 팽배한 메마른 합리주의에 대비해 예방 접종을 하는 것과 같습니다. 그러한 합리주의는 자칫하면 건조하고 절망적이고 비극적일만큼 평범한 삶을 초래합니다.

러셀 무어(Russell Moore) 박사는 남침례회 윤리 및 종교 자유위원회(ERLC) 위원장입니다.
무어 박사는 "입양의 마음" 외에 다수의 저서를 냈습니다.

하나님은 왜 우리가 순종하기를 바라시나요?

하나님의 사랑에 대한 우리의 응답이 순종이기 때문이에요.

누가 우리를 거룩하게 변화시키시나요?

성령님이 하나님의 영광을 위해
우리가 예수님을 닮아 가도록 변화시키세요.

내가 그리스도와 함께 십자가에 못 박혔나니
그런즉 이제는 내가 사는 것이 아니요
오직 내 안에 그리스도께서 사시는 것이라
이제 내가 육체 가운데 사는 것은 나를 사랑하사
나를 위하여 자기 자신을 버리신
하나님의 아들을 믿는 믿음 안에서 사는 것이라

갈라디아서 2장 20절

그런즉 누구든지

그리스도 안에 있으면 새로운 피조물이라

이전 것은 지나갔으니

보라 새것이 되었도다

고린도후서 5장 17절

가스펠 프로젝트 신약 커리큘럼

1권 위대한 복음 복음서	2권 비유와 기적 복음서	3권 십자가와 부활 복음서, 행, 사	4권 복음으로 세워진 교회 행	5권 하나님의 편지 서신서	6권 다시 오실 그리스도 행, 서신서, 계
1단원 **성자 하나님**	1단원 **비유로 말씀하신 예수님**	1단원 **순종하신 예수님**	1단원 **능력을 주시는 성령님**	1단원 **인도하시는 하나님**	1단원 **하나님의 계획**
1. 아브라함부터 예수님까지 2. 마리아가 하나님을 찬양했어요 3. 예수님이 태어나셨어요 4. 예수님이 성전에 계셨어요 5. 예수님이 세례를 받으셨어요 6. 예수님이 시험을 이기셨어요	1. 씨 뿌리는 농부 비유 2. 용서할 줄 모르는 종 비유 3. 선한 사마리아인 비유 4. 3가지 비유 5. 바리새인과 세리 비유 6. 악한 농부 비유	1. 마리아가 예수님께 향유를 부었어요 2. 예수님이 성전을 깨끗하게 하셨어요 3. 예수님이 제자들과 마지막 만찬을 하셨어요 4. 예수님이 잡혀가셨어요	1. 약속하신 성령님이 오셨어요 2. 걷지 못하는 사람이 걷게 되었어요 3. 스데반이 예수님을 전했어요 4. 에티오피아 관리가 예수님을 믿었어요 5. 베드로와 고넬료가 만났어요	1. 바울이 베드로의 행동을 나무랐어요 2. 교회가 나뉘었어요 3. 교회 안에 차별이 생겼어요 4. 서로 사랑하라 5. 교회 지도자들에게 권면했어요	1. 복음을 막을 수 없어요 2. 바울이 총독 앞에 섰어요 3. 바울이 로마로 가게 되었어요 4. 감옥에서도 하나님을 찬양했어요 5. 예수님은 위대하세요
2단원 **우리와 함께 계시는 하나님**	2단원 **기적을 행하신 예수님**	2단원 **구원자 예수님**	2단원 **보내시는 하나님**	2단원 **변화시키시는 하나님**	2단원 **소망을 주시는 하나님**
7. 니고데모가 예수님을 찾아왔어요 8. 세례 요한이 예수님에 관해 말했어요 9. 예수님이 사마리아 여인을 만나셨어요 10. 예수님이 고향에서 거절당하셨어요 11. 예수님이 삭개오를 만나셨어요	7. 예수님이 물로 포도주를 만드셨어요 8. 예수님이 하늘의 떡을 주셨어요 9. 예수님이 물 위를 걸으셨어요	5. 예수님이 십자가에서 죽으셨어요 6. 예수님이 부활하셨어요 7. 예수님이 엠마오로 가는 제자들을 만나셨어요	6. 바울이 회개하고 세례를 받았어요 7. 바울의 첫 번째 전도 여행 8. 오직 그리스도 9. 바울의 두 번째 전도 여행 10. 바울이 아테네에서 복음을 전했어요 11. 바울의 세 번째 전도 여행	6. 우리는 하나님의 자녀예요 7. 마음을 새롭게 해 변화를 받아요 8. 성령의 열매를 맺어요 9. 하나님의 전신 갑주를 입어요 10. 기쁘게 주어요 11. 믿음의 사람들	6. 바울이 빌레몬에게 편지를 보냈어요 7. 바울이 소망을 전했어요 8. 믿음을 지키라고 말했어요 9. 다시 오실 예수님을 기다려요
	3단원 **고치시는 예수님**	3단원 **부활하신 왕, 예수님**			3단원 **만물을 새롭게 하시는 하나님**
	10. 예수님이 중풍 병자를 고치셨어요 11. 예수님이 귀신 들린 사람을 고치셨어요 12. 예수님이 여인을 고치시고 소녀를 살리셨어요 13. 예수님이 나사로를 살리셨어요	8. 예수님이 제자들에게 나타나셨어요 9. 예수님이 도마에게 나타나셨어요 10. 예수님이 베드로에게 나타나셨어요 11. 예수님이 지상 명령을 주셨어요 12. 예수님이 승천하셨어요 13. 예수님을 보내신 하나님을 찬양해요			10. 요한이 본 환상 11. 일곱 교회를 향한 하나님의 경고 12. 보좌에 앉으신 예수님 13. 마라나타! 예수님, 어서 오세요!

※세부 내용은 사정에 따라 변경될 수 있습니다.

신약5 성경의 초점과 주제

1단원 **인도하시는 하나님**

Q 하나님은 왜 우리가 순종하기를 바라시나요?

A 하나님의 사랑에 대한 우리의 응답이 순종이기 때문이에요.

1. 바울은 오직 예수님을 믿는 믿음으로 구원받는다고 말했어요.
2. 바울은 그리스도인은 예수님을 믿는 믿음으로 하나가 되어야 한다고 말했어요.
3. 야고보는 예수님이 우리를 긍휼히 여기셨듯이 우리도 다른 사람을 긍휼히 여겨야 한다고 말했어요.
4. 요한은 그리스도인이 서로 사랑하는 모습을 통해 사람들에게 하나님의 사랑을 보여 줄 수 있다고 말했어요.
5. 바울은 교회 지도자들에게 하나님의 말씀을 가르치라고 권면했어요.

2단원 **변화시키시는 하나님**

Q 누가 우리를 거룩하게 변화시키시나요?

A 성령님이 하나님의 영광을 위해 우리가 예수님을 닮아 가도록 변화시키세요.

6. 하나님은 예수님을 믿는 우리를 하나님의 자녀로 삼으세요.
7. 하나님은 우리가 서로 아끼고 사랑하며 교제하기를 바라세요.
8. 성령님은 우리가 예수님을 닮아 가도록 우리의 생각과 행동을 변화시키세요.
9. 우리는 하나님의 전신 갑주를 입고 악에 맞서 싸워요.
10. 하나님이 우리에게 아낌없이 주신 것처럼 우리도 아낌없이 줄 수 있어요.
11. 믿음의 사람들은 보이지 않는 하나님의 약속을 믿고 순종해요.